最短で結果が出る「超・学習法」ベスト50

Akira Iguchi
井口 晃

きずな出版

・「最短で」「確実に」自分を変えたい

・「やるぞ！」と勉強をはじめても三日坊主で終わってしまう

・勉強をしても、覚えるのが遅くて悩んでいる

・受験や資格試験を控えていて、なにがなんでも結果を出したい

・インプットの効率を上げて、仕事やプライベートを充実させたい

・英語を自由自在に操れるようになりたい

・どんなシチュエーションでも集中できるようになりたい

・学生時代はあまり勉強をしてこなかったから、学び直しをしたい……ｅｔｃ．

こんな思いを持つすべての人へ

世界各地で、

1億円以上の金額と20年以上の時間をかけて、

学び&実践に没頭してきた「学びオタク」の私がたどり着いた

50の「超・学習法」を、本書のなかであなたにプレゼントします。

現在、学びで苦労している人は、

本書を読み終えるころには

ありとあらゆることを最短最速で

マスターできるようになっているでしょう。

本書でご紹介する50の「超・学習法」さえ知れば、どんな分野でも最短最速でマスターすることができます。

たとえば私たちは学校の義務教育で数年間、英語を学んできました。

しかし、どれだけ長い時間をかけて学んでも、学校の授業だけで英語を話せるようになった日本人は、まわりを見渡してもほとんどいないのではないでしょうか？

また、ビジネス書や自己啓発書を何十冊読んでも、簡単に結果を出すことはできませんし、講座やセミナーなどでスキルをたくさん学んでも、それを活かせていない人がたくさんいます。

つまり、世の中には多くの時間をかけて学んでも、実際にはまったく身についていないということが数多く存在しているのです。

なぜでしょうか？

その理由は、べつにあなたに「才能」がないからというわけではありません。

あなたに「学歴」がないからというわけでもありません。

あなたの「遺伝子」が悪いわけでもありません。

ズバリ「学び方」が間違っているからです。


本来、人間は自然と学ぶ生き物です。

赤ちゃんは歩き方を教えなくても気づけば歩いていますし、欲しいと思うものにはみずから手を伸ばします。また、お母さんやお父さんの真似をして言葉を話しはじめます。教わらなくてもできるのは、人として自然と成長しているからです。

しかし、年齢を重ねるにつれ、人は「学ぶこと」を余儀なくされます。

小学生になれば漢字や掛け算の九九などを教わり、習いごとをすれば泳ぎ方やピアノの弾き方を教わる。社会に出れば、先輩や上司から仕事のやり方を教わります。

人生のなかで学ぶべきことは非常に多い。

しかし、「学び方」について教えてくれる人は誰もいません。

だからこそ、受動的な学び方が当たり前になっているのです。

「正しい学び方」でなければ、結果は出ない

日本の子どもたちに「なぜ勉強するの？」と聞くと、「いい点を取るため」「いい学校や就職先に入るため」と答えます。

つまり、実際にそのスキルや知識を実社会で使うためではなく、テストでいい点を取るために学んでしまっているのです。これでは本末転倒です。

テストで点数を取るためだけに勉強をする子どもは、能動的に学ぶことをしません。だから、長い月日をかけて学んでもマスターすることができないし、それを疑問に思う人もいないのです。

これは子どもに限った話ではありません。

大人になっても、自ら望んで申し込んだ講座やオンラインコースに多くのお金と時間をかけても、「学んだだけで活かせていない」「結果が出ていない」という人が非常に多い。これは、子どものときと変わらず「受動的な学び方」の悪いクセが根づいている証拠ではないでしょうか。

だからこそ、何を学ぶにも、まずは「正しい学び方」を知ることが重要なのです。

言いかえれば、学び方さえ知っていれば、どんな分野であれ、短時間で効率のよい学びを得ることができます。

「学び方」を学ぼう

かくいう私も、中途半端な学び方をしていた時期がありました。

私が通っていた学校は県内トップクラスの進学校で、まわりには頭のいい子がたくさんいました。そんな環境もあり、いくら勉強しても成績は中の下くらいのレベルで、彼らに点数で勝つことができず、自信を持つことができなかったのです。

そして、

「どうがんばっても、みんなには到底追いつけない……。同じ土俵で戦っても勝ち目はなさそうだ。でも、どうにかしてみんなと差をつけたい」

と考えた末、もともと興味があった英語に目をつけました。

当時18歳だった私は、単純に「英語がペラペラになれば、みんなに差をつけることができるかもしれない」と思ったからです。

その後、20歳のときに「1年半後にアメリカに留学する」と決意しました。

そのときはじめて、

「この限られた留学までの1年半という時間のなかで、効率よく英語を学ぶにはどうしたらいいか？」

と考え、1日に英語をどれだけ学べるかということだけを意識する〝生産性の鬼〟になりました。

「いままでやっていたように、ただ机に向かって単語を覚えたり、教科書どおりに文法を丸暗記したりするのでは英語をマスターすることはできない。本当の意味で英語をマスターするにはどうしたらいいだろうか？」

そんなことを四六時中考えながら、英語に向き合いました。

いま思えば、このとき初めて「学び方を学ぶ」ということを探究するきっかけになったのだと思います。つまり「超・学習法」の基礎がここで生まれたのです。

アメリカ留学中は、日本でやっていた勉強法ではなく、さまざまな学び方を試してみました。もちろん、うまくいかないこともありましたが、トライ&エラーを繰り返していくうちに、

「本当の意味の学びとは、ただ机に向かうだけではない。頭だけでなく身体と五感を使い、目的を持って能動的に行動することで、効率的に学習することができる」

ということに気がついたのです。

いままで学校で一般的によしとされていた学び方は、頭だけを使って、記憶や暗記をして、テストのためだけに学ぶものが多いように感じます。

しかし、考えてみてください。自転車に乗りたいなら、乗るコツを動画で見たり教科書を読むだけではなく、実際に乗ってみないと絶対に乗ることはできないはずです。

つまり、頭と身体を使って実際に経験してこそ、本当の意味の「学び」を習得することができるのです。

日本人は、とても真面目で努力をする民族です。

ストイックに学ぶことが好きですし、努力を苦と思わない人もたくさんいます。

おそらく、その部分に関しては世界有数ではないでしょうか。

だからこそ、その真面目さ、まっすぐさをもっと効率よく活かしてほしい。

そのためには、まずは「学び方」を知ることが最優先です。

そして、どんな分野のスキルや知識でも最短最速でマスターできる「超・学習法」を身につけることです。

何事も実際にやらないとわからない

「使える学び」をしよう！

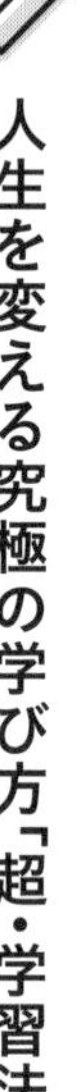

人生を変える究極の学び方「超・学習法」

「『超・学習法』さえマスターすれば、どんな分野でも最短最速で学ぶことができる」

これは私の信念であり、本書でもっともお伝えしたいメッセージです。

最小限の労力と時間で最大限の学びを得るためには、かならずそのジャンルに見合った正しい学び方があります。

まずはそのやり方を知ること。

それがあなたの人生を変えるきっかけとなるでしょう。

私は18歳までずっとムダな学び方をしていたために、勉強やスポーツも中くらいで、親友と呼べる友人や彼女もいないパッとしない人生を送っていました。でもあるとき、「このままでは自分は平凡な人生のままで終わってしまう」ということに気づき、危機感を抱きました。

それ以来、意識的に学び方を変えて「超・学習法」をマスターし、実践してきました。そのおかげで得られた結果の一部を紹介しましょう。

- **半年でTOEIC300点台から900点台にアップし、アメリカの大学に留学**
- **社会人経験ゼロの学生が、13年間売り上げが右肩上がりの優良企業グループを経営**
- **文章が苦手だったのに、10冊の本を世界中で出版しベストセラー著者に**
- **人前で話すのが苦手だったのが、5000人の前で英語で講演**
- **ゴールデンタイムのTVに有名芸能人と出演**

など、学び方を変えたおかげで、飛躍的な成長を体感できました。

私はお金持ちの家に生まれたわけでも、才能があったわけでもありません。

「超・学習法」をマスターしただけで、これらの驚くような成果が出せたのです。

あなたが圧倒的な結果を出し続ける人になれるかなれないかは、学歴も才能も遺伝も性別もまったく関係ありません。学び方を知っているかどうか、ただそれだけのことなのですから。

だからこそ、いままでのような、時間とお金と労力をかけても身につかないムダな学び方から卒業しましょう。

人生100年時代といわれるいま、あなたの人生は未完成なストーリーのなかにあります。この「超・学習法」をマスターすれば、あなたの人生の可能性は無限大に広がります。

ひとつの学びが、ひとつの出逢いが、あなたの人生を大きく変えてくれることを、この本を読んで知ってもらいたい。

学びの場が多く、夢が叶えられるスピードが速くなったこの時代だからこそ。

この本を読んだあなたが、素晴らしい人生を歩むヒントを得ていただけますように、心から願っています。

もくじ

最短で結果が出る

「超・学習法」ベスト50

序章

成果が8割変わる！最短で学ぶための「マインド」の整え方

第1章 効率的に「強い記憶」を定着させる方法

第2章

自分の血肉になる「読書」の技術

第3章 超実践的な「英語」の学び方

第4章 結果に直結する「集中力」の鍛え方

第5章 「オンライン」を駆使して学びを加速させる

最終章

学びを通して新しい自分になる

成果が8割変わる！
最短で学ぶための
「マインド」の
整え方

教育の根は苦いが、
その果実は甘い

アリストテレス

序章

何を習得したいかは人それぞれ違います。

しかし、どんな学びであれ、

それを習得し、活かすことができるかどうかは

あなたのマインド（思考法）次第です。

マインドが変われば、おのずと行動が変わります。

つまり、マインドを変えることが

あなたが「超・学習法」をマスターする

大きな最初の一歩となるのです。

マインド8割、メソッド2割

本書では「超・学習法」の重要性と具体的な学び方、そして現実世界で自己成長し、圧倒的な成果を得ていく方法をお伝えしていきます。

結論から言えば、「超・学習法」とは、学校で学んだ旧来の暗記中心の勉強法ではなく、どんな分野の知識やスキルでも最短最速で学ぶことができ、それを現実社会で実践し、結果を得るためのニューノーマル時代に合った最先端の学び方です。

「一体どうすれば、最短の時間でもっとも効率的に学べるのか？」

これは私がアメリカの大学に留学する際に、英語を学ばなければいけない切羽詰まった状態で、四六時中、自分自身に問いかけていた質問です。

そのときに出逢ったのが「医学の父」と呼ばれるヒポクラテスの、

「心に起きることはすべて身体に影響し、身体に起きることもまた心に影響する」

という言葉でした。

ヒポクラテスがそういうのなら、心に起きること、つまり言葉や感情の持つ力は、医学さえも超えるパワーがあることを認めざるを得ません。

たしかに、サプリメントや薬も「これは効くぞ」と言いながら飲むのと、「本当に効くのかな?」と疑いながら飲むのでは効果は違うでしょう。

思い込みによってケガや病気が治ると言われている「プラシーボ効果」も同じで、言葉は心に強い影響を与えることは間違いありません。

そして、その言葉をつくるものが「マインド（思考）」であり、マインドが変われば、おのずと「行動」も変わってきます。

プロローグでも話したとおり、私は21歳のときアメリカの大学へ留学しました。

もともと英語は好きでしたが、留学することを決めたきっかけのひとつに、ひとりの同じ大学の友だちの存在がありました。

彼は高校時代に留学したあと帰国していたのですが、その彼が、アメリカ人の先生と流暢（りゅうちょう）な英語で話をしているところを、たまたま見かけたのです。

こんなに身近で、しかも同年代の友だちが、アメリカ人の先生と楽しそうに英語で会話をしている。それを見たとき、なぜか衝撃を受けました。

そして、「同年代の彼ができるなら、自分にもできるんじゃないか？」という思いを抱いたのです。

それまでは、「いつか英語が話せたらいいな。でも、日本人だから話せなくても仕方ないか」と、正直どこかであまえた気持ちがあったかもしれません。

しかし、彼を見たとき「ああ、これはもう言い訳はできないな」と思いました。その瞬間、私のなかのスイッチがカチっと「本気」へと切り替わったのです。

その後、「英語をマスターするまでは日本に帰ることはできない」という熱い思いを抱き、アメリカ留学を決意しました。

日本の大学では1クラスにつき30人くらいの生徒がいましたが、なかでも私は群を抜いて「英語をマスターしてやる」というマインドが強かったように思います。

ただ「留学してみたい」とか「英語に触れてみたい」という気軽な気持ちで来ている生徒もいたかもしれません。しかし、私だけは人一倍メラメラと熱い闘志を抱き、勉強していました。

ほとんどのクラスメイトは、授業が終われば当たり前のように帰宅していましたが、私は授業が終わったあと、アメリカ人の先生のオフィスを訪れ、英語で雑談する機会をつくったり、留学生が集まる部屋で友だちをつくろうとがんばって話しかけたりと、なるべく英語に触れる機会を一分一秒でも増やすようにしました。

自分で言うのもなんですが、私のこのマインドは、ほかの8割ほどの生徒とはレベルが違ったように思います。

「パレートの法則」をご存じでしょうか？ イタリアの経済学者ヴィルフレド・パレートが見出した所得分布についての経験則（けいけんそく）のことで、国家などの総所得の約8割は約2割の高額所得者が担っているというものです。「80：20の法則」とも言われます。

この法則は経済だけでなく、自然現象、化学現象などさまざまな事例に当てはまると言われています。そして当然「学び」という場においても、この法則は当てはまります。

つまり、最短で学びを得るために必要なものは、知識でも努力でもありません。**マスターしたいと思う「学ぶためのマインド」が全体の80％であり、「学ぶべきメソッド」は20％くらいといっても過言ではないのです。**

また、自分のマインド次第で学びを習得できると思えば、「私には絶対に無理そう」などと思うようなむずかしそうなスキルであれ、挑戦する勇気が湧いてきます。

その勇気こそが、あなたが成功するための土台をつくり出すのです。

しなやかマインドセットVS硬直マインドセット

『マインドセット「やればできる！」の研究』（草思社刊）の著者キャロル・S・ドゥエック氏によれば、人間のマインドセットについて**「硬直マインドセット＝fixed mindset」と「しなやかマインドセット＝growth mindset」の2種類がある**とのこと。

〝人間の資質は変わらない〟と考えている「硬直マインドセット」の人は、最初に配られた手札だけで戦っているようなものです。そのため、失敗を受け入れられなかったり、自分を必要以上に大きく見せたいという気持ちが生まれたりします。

その一方で〝人間は成長し続けられる〟と信じる「しなやかマインドセット」の人は、失敗も成長に必要なこととして受け入れ、自分の現状についても正しく受け止められることが多いのです。

「硬直マインドセット」は他人からの評価に、「しなやかマインドセット」の人は自分を向上させることに興味を持っています。

どちらのマインドセットを選ぶかによって、人生は大きく変わります。

「硬直マインド」、つまり能力を固定的にとらえてしまうと、一度の結果ですべてが決まってしまうと考えがちになります。この人たちにとって、成功とは自分の賢さを示すことであり、優先すべきは他人に評価されることになります。すると困難な問題からは目を背け、短期的に解決可能な課題だけに取り組む傾向が強くなってしまいます。さらには、才能さえあれば努力など必要ないと考え、自分の能力を完全に発揮できなくなることもめずらしくありません。

しかし「しなやかマインド」、つまり能力を流動的なものだと捉え、努力こそが人を賢くすると考える人にとって、失敗は自分を成長させる糧となります。

人はみな生まれた時点では、学ぶことが大好きなはずです。

赤ちゃんは失敗を恐れないし、恥ずかしがったりもしない。ところが成長にともない「硬直マインドセット」が植えつけられると、たちまち失敗しないことにしか取り組みたくなくなる。そして成長が止まってしまうのです。

失敗を恐れずに果敢に挑戦し、欠点があれば直そうと試みる。

そんな「しなやかマインドセット」があれば、たとえ自信などなくても尻込みせず、気楽な気持ちでものごとに挑戦できるようになります。

あなたは「しなやか」か「硬直」か、どちらのマインドセットを持っていますか？

しなやかマインドセットを持って、成長をし続けましょう。

「ビジュアライゼーション」で、得たい結果を強烈にイメージする

留学時代、英語づけの日々は正直つらいこともありました。

思うように話せない、伝わらないというもどかしさや悔しさがこみあげるときは、前述の英語がペラペラの友人のことを思い出しました。

「きっと彼もこんな思いを乗り越えて英語を話せるようになったんだ。彼にもできたんだから、かならず自分にもできる」

そうやって自分を奮い立たせ、必死になって英語を学びました。

いま思えば、無意識に彼と自分の未来と照らし合わせていたように思います。

この時期は、意識的に毎日〝英語がペラペラになった状態〟をイメージしていまし

た。このように明確にイメージすることを「ビジュアライゼーション」と言います。

じつはビジュアライゼーションこそが、私のマインドをつねに駆り立ててくれました。だからこそ、途中であきらめずにがんばり続けることができたのです。

もし、いまあなたが何か学びたい、マスターしたいスキルや知識があるのなら、まずはこのスキルを習得して、強くイメージすることが非常に大切です。

たとえば、

- **ダイエットを成功させたいなら、痩せて理想の体形になった自分を想像する**
- **英語を話したいのなら、外国人とペラペラと英語で話をしている自分を想像する**

などです。

得たいものを得ることができた未来の自分をありありと思い描けば、かならずモチベーションを維持し続けることができます。そして、学びながらも、そのスキルを得た自分像をつねに意識することで、それに合わせた「いまの行動」が変わります。

ちなみに、ビジュアライゼーションの効果は科学的にも証明されています。

米・シカゴ大学の研究で、ブラスロット博士は人々を3つのグループに分けました。

各グループに条件の違いを設け、それぞれバスケットのフリースローがどのように上達していくかを実験しました。

3つのグループの条件とは次のものです。

・グループ1は、毎日1時間フリースローを練習した。
・グループ2は、ビジュアライゼーションのみをした（実際の練習はしていない）。
・グループ3は、何もしなかった。

ブラスロット博士は、各参加者を条件前・条件後で30日の期間を空け、それぞれフリースローが何本成功するか結果をテストしました。

30日後、グループ1は結果が条件前よりも24％改善し、グループ2は23％改善し、グループ3には変化がありませんでした。

これらの結果の驚くべき点は、グループ2が実際のバスケットボールに触れて練習しなかったにもかかわらず、グループ1とほぼ同レベルで結果が改善したことです。

これほどまでに、ビジュアライゼーションは効果があるのです。

ビジュアライゼーションのやり方

では、早速ビジュアライゼーションのやり方を教えていきます。

・ステップ1

まずはリラックスしましょう。
深呼吸をして、その学びで得たい結果について考えてください。

・ステップ2

結果をさらに明確にします。明確さは力です。目標を明確にできるほど、それを達成するために必要な力が大きくなります。

あなたが望むスキルや知識、あなたが望む肉体や人間関係、あなたが旅行したい場所、あなたが望む仕事の成功、あるいはあなたが望む楽しいこと、などについて、より具体的に考えてください。

・ステップ3

感覚を追加します。

何かのスキルや知識が身についたときの笑顔や感覚を想像したり、実際にスキルや知識を身につけ目標を達成したときの、友人からの「おめでとう!」という声を想像したりします。あなたの環境、風景、そして、そのときの場面をありありとイメージしてください。

・ステップ4

最高の自分自身をイメージしてください。

あなたの心のなかでビジョンを達成するために、あなたが具体化する必要がある性格や感情の状態についてイメージしましょう。

たとえば自信があり、確実で、楽しく、活気があり、大胆で、集中力があり、情熱的である自分自身を感じてください。

・ステップ5

目を閉じたまま、頭のなかで自分へのひとりごとを話してみてください。

このとき、あなたは自分自身に何と言いますか？

自分の目を通して見ている状況（一人称視点）を想像してください。

また、外から自分を見ている状況（三人称視点）も想像してみてください。

たとえば、その学習や試験に合格するまでの感覚を想像してみてください。

次に、部屋の向こう側から自分を見ているかのような感覚で、あなたが完璧に実行するのを見ていると想像してください。

・ステップ6

朝と就寝直前に、楽しみながら4〜5分間、ここまでのステップをおこないます。

ビジュアライゼーションを習慣化していきましょう。

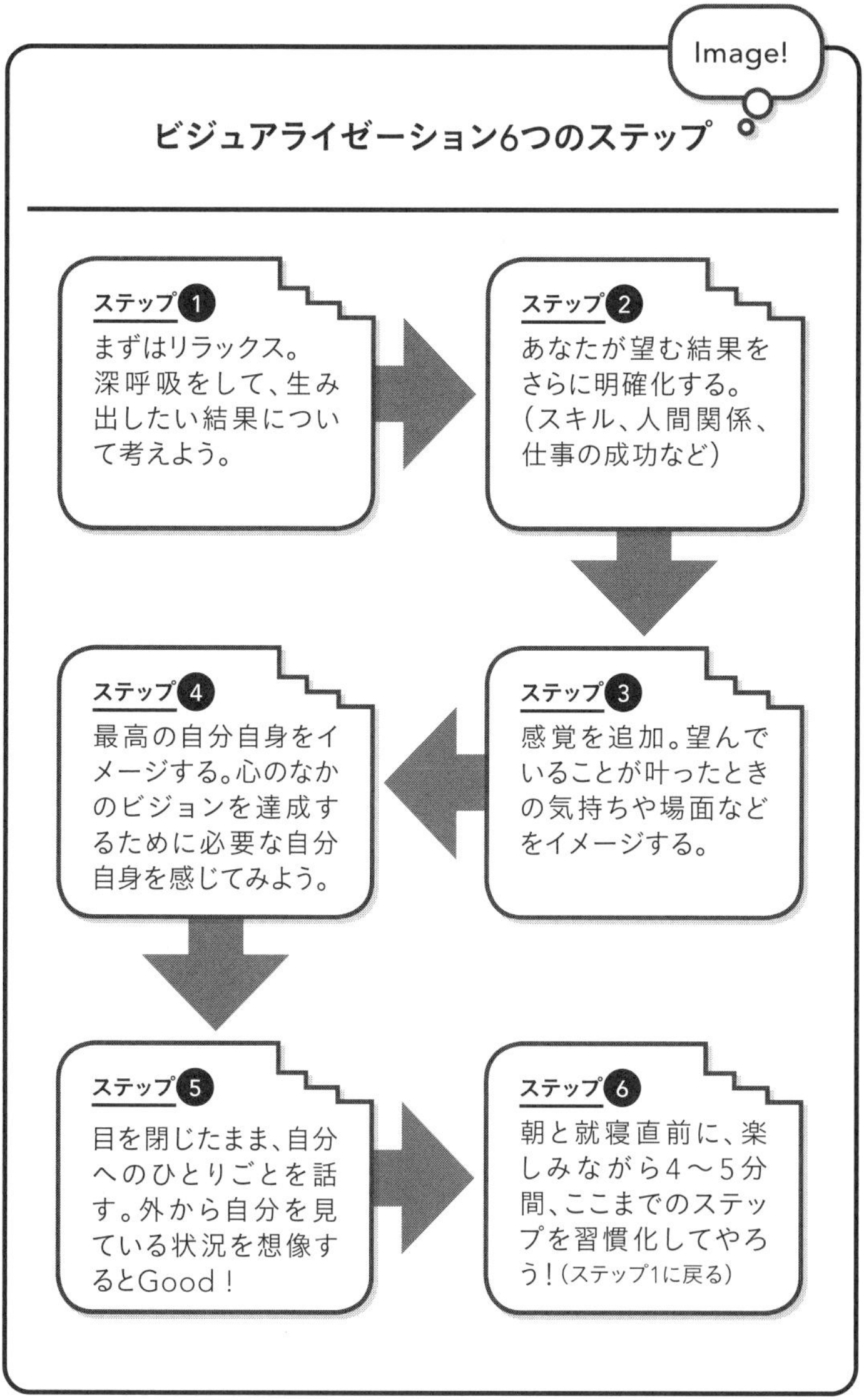

Image!

ビジュアライゼーション6つのステップ

ステップ1
まずはリラックス。深呼吸をして、生み出したい結果について考えよう。

ステップ2
あなたが望む結果をさらに明確化する。（スキル、人間関係、仕事の成功など）

ステップ3
感覚を追加。望んでいることが叶ったときの気持ちや場面などをイメージする。

ステップ4
最高の自分自身をイメージする。心のなかのビジョンを達成するために必要な自分自身を感じてみよう。

ステップ5
目を閉じたまま、自分へのひとりごとを話す。外から自分を見ている状況を想像するとGood！

ステップ6
朝と就寝直前に、楽しみながら4～5分間、ここまでのステップを習慣化してやろう！（ステップ1に戻る）

超・学習法 3

結果が出るまでには、かならず「時差」があることを知る

いまあなたがこの本を手に取ってくださっているということは、少なからず「学んだのにそれを活かせていない」「努力しても結果が出ない」という苦い経験があるのかもしれません。

何かを学びたいと思い、それを学ぶことは非常に素晴らしいことです。

しかし、いくら時間を費やしても、正しい学び方をしなければ、その学びを活かすことができません。

私は、留学したことでそのことに気づくきっかけを得ましたが、その前になぜ私が英語を習得したいと思うようになったか、あらためてお話をしたいと思います。

私は、中学校のときは中高一貫の私立の進学校で学んでいました。

同じクラスのなかには、小学1年生のころから勉強一筋でがんばってきたという生徒もたくさんいました。

そういう子たちは、いままで積み上げてきた勉強量がまったく違います。どうがんばっても、彼らの勉強量を追い越すことはできませんでした。

悔しい思いを抱きながら「僕がいま彼らに勝てるものは何だろう?」と考えたとき、唯一彼らより優っているものといえば、読んだ本の数でした。

当時『脳内革命』『7つの習慣』『思考は現実化する』といった本がベストセラーとなり、私もたくさんそういった自己啓発本やメンタルトレーニングに関する本を読んでいました。

そういう本を読んでいると、次第に、

「アメリカに留学して、そのまま住んでみたいなあ」

「英語が話せたら、世界中で仕事ができるかも」

「いまのままの自分から変わりたい」

こんな思いを抱くようになりました。

そんなとき、直感で「**英語をマスターすれば世界で活躍できるかも。そうだ、僕は英語というフィールドで勝負しよう**」と決め、英語の勉強をはじめたのです（若気の至りにありがちな妄想をしていたことも事実です笑）。

しかし、その後は学ぶ熱意はあったものの、思うように上達することができず、悶々（もんもん）とした日々を送っていました。


いま振り返ると、なぜそのときがんばっても思うように英語が上達しなかったのか、その理由がわかります。

なぜなら〝頭だけ〟を使って必死に学んでしまっていたから。

この本を読んでいるあなたも、このときの私のように、「がんばっても上達しない、身につかない」と感じているのであれば、あなたが悪いわけではなく、じつは学び方が間違っている可能性が高いです。

だからこそ、この本で効率のいい学び方を知る必要があります。

結果が出るタイミングは、人によって違う

そう言うと「それじゃあ、いままでの苦労は何だったの！」と思ってしまうかもしれませんが、大丈夫。いままでがんばったあなたの過去の努力は、決して無駄にはなりません。

人はどうしても短期的に結果が欲しくなりますが、結果を出すタイミングは人それぞれだからです。

私自身も、がんばってもうまくいかないとき「神様は私の努力を拒絶しているのかな……」などと思ったことがあります。

しかし、いま思うと、ただ結果が出るタイミングが少しだけ遅れているだけのこと。成功には、しかるべきタイミングというものがあることを実感しています。

つまり、何かを成し遂げたいと思うなら、とにかくあきらめずに淡々と継続することが大前提です。また、その学びを実践し、アウトプットすることも重要です。

学び続ければかならず、ベストなタイミングで花が開くときが来る。そう信じて、あきらめないことです。

天才になるには1万時間かかるが、「超・学習法」を使えば1000時間で済む

アメリカの作家・ジャーナリストであるマルコム・グラッドウェルが面白い調査結果を発表しています。

何かの分野で「天才」と呼ばれるようになった人たちに共通していたのは、それまでにその分野に打ち込んできた時間がほぼ「1万時間」だったという結果です。

世界的なバイオリニスト、作曲家、バスケットボール選手、小説家、チェスの名人など、どの調査を見ても、この「1万時間」というマジックナンバーが出てくるのだと言います。

グラッドウェルは、著書『天才！』（講談社刊）のなかで、

「1万時間より短い時間で、真に世界的なレベルに達した例を見つけた調査はない。まるで、脳がそれだけの時間を必要としているかのようだ。専門的な技術を極めるために必要なすべてのことを脳が取り込むためには、それだけの時間が必要だというこ

とのように思える」

と記しています。

真に「プロレベルのスキル」を身につける、つまり何かのスキルや知識で一流になるためには1万時間が必要なのかもしれませんが、本書では「結果を出すための実践的な学び」に限定しています。

私が長年実践&研究してきた経験から言わせてもらうと、「超・学習法」を使えば、あなたが得たい分野のスキルを一流レベルにマスターするのに1000時間で済むイメージです。

「え、1000時間もかかるの!?」と思われるかもしれませんが、**1日2時間ほどの学習を死守すれば、1年半で1000時間**に到達できます。

結果が出るには、このくらいの「時差」があるイメージで、あなたも一流をめざしてみてください。

超・学習法 4

なんとなくクセでやっている「過去の古い学び方」を捨てる

効率的な学び方があることすら知らない人が、非常に多いです。

たとえば経営者の友だちと話をすると、決まって「そろそろ本気を出して英語を勉強したい」という会話が出てきます。

そういう方に「どうやって勉強しているの？」と聞くと、

「中学校のときの参考書を引っ張り出してきて、単語を覚えている」

「受験勉強のときに使っていた参考書を見つけて、イチから勉強している」

などと答える方がとても多いです。

残念ながら、そのやり方ではムダな努力に終わる可能性が非常に高いです。

仕事が忙しいかたわら、自発的に学ぼうとする姿勢は素晴らしいと思います。

しかし、**学生のころマスターすることができなかったその勉強法で、なぜいまもう一度トライしようとするのだろう?** と不思議に思います。

現実的には、そもそもの勉強法が間違っていると、いくら努力しても結果が得られることはありません。

うまくいかなかった学びは、躊躇なく手放す

これは英語に限った話ではなく、ダイエットなどもそうです。過去に成功しなかったダイエット方法と、なぜか同じやり方で再チャレンジする人は多いです。

過去に成功しなかった方法は、間違いなく「その人に合っていないやり方」であり、だからこそ成功しなかったのです。

それなのに、同じやり方で再チャレンジするのはなぜでしょうか。

何かを学びたい、マスターしたいと思うとき、ひとつの方法しか試せていない人は、無意識に過去の古い学び方にとらわれています。

前述したとおり、学び方というのは誰も教えてはくれません。

だからこそ、時代や年齢が変わっても、何十年前にやっていたやり方を何の疑いもせず無意識に何度も繰り返してしまうのです。

とくに日本は寺子屋のころから「机に向かって暗記をする」といった学び方が根づいており、令和というこの新しい時代を生きる子どもたちですら「勉強＝暗記」だと思い込んでいます。


学習で大事なのは暗記ではなく、実践です。

だからこそ、まずは古い学び方を思い切って捨てることが大切です。


現代にはデータで実証された効果的な学習法がたくさん存在します。本書をキッカケにその学習法の存在を知り、自分の学びに活かしていきましょう。

あなたにもかかならず、努力してきたのに習得できなかったことや途中で挫折してしまったことがあると思います。

しかし、過去の失敗をもう一度繰り返すのは時間のムダです。それは間違った学び方だということをまずは認識しましょう。そして「古い学び方」を手放し、新しい「超・学習法」でサクッと知識やスキルを習得していきましょう。

古い学びは捨てよう

学生のころマスターできなかった
勉強法にトライする

古い学び方を思い切って捨てる!
新しい「超・学習法」で学んでいこう!

超・学習法 5

ダラダラ学ばず、短期集中で一気に学ぶ

子どもたちが、英語の勉強を中学校・高校・大学と6～10年かけても習得することができない理由のひとつに、「時間をかけすぎているから、覚えることができない」ことが挙げられます。

なぜなら、**長い時間をかけて少しずつ学ぶというやり方は、忘れやすく、モチベーションを持続できない**からです。

長く学びすぎてしまうと、「結局、自分にこのスキルは身に着けられないんじゃないか？」という疑いが生じて、学びのスピードそのものが遅くなってしまうのです。

つまり短期集中で学ぶほうが、長期間にダラダラ学ぶよりも、スキルや知識をマスターしやすいのです。

たとえば車の教習所も、数か月間かけて免許を取るよりも、2週間の短期合宿をしたほうがはるかに合格率は高いです（ちなみに合宿だと合格率は98%で、教習所に通うタイプだと合格率は60〜70%というデータもあります）。

英語においてもそうです。

1日1時間、それを5年かけて勉強するよりも、1か月でも留学するなどして一気に脳を英語づけにするほうが、間違いなく習得することができます。

経験談ですが、私が20歳のときにニュージーランドに初めて短期で1か月間、語学留学したときは、それまでまったく英語が話せなかったのが、1か月後には日常会話はなんとか問題がなく話せるようになりました。

これもホストファミリーと一緒に暮らし、朝目覚めた瞬間から夜寝る直前まで、1日16時間くらい英語づけになれたのが効果的でした。

また、11年前に「サハラマラソン」という世界一過酷なアドベンチャーレースに挑戦すると決めたとき、完走するためのコツなどをいろいろな人に聞いては、試していました（そのときはまったくのマラソン初心者でした）。

しかし、とある人から「自分ひとりでトレーニングをするよりも、いままでサハラマラソンを何度も完走したことがある人たちと一緒にトレーニングをしたほうがいいよ」と言われ、過去にサハラマラソンを完走した経験を持つ人と一緒に練習をさせてもらったこともあります。

そこではコースに合わせた走り方から、「ここの筋肉を鍛えたほうがいい」「朝食はこれを食べたほうがいい」「こんなふうにレースを進めたほうがいい」など、具体的に完走するための秘訣を教えていただきました。

いままで何度も完走している人たちとの実践練習は、経験のない私にとって貴重な体験でした。そして、そのアドバイスのおかげで、初挑戦にもかかわらず無事に完走をすることができたのです。

ダラダラと自己流で練習や学習をするよりも、5～10日間という短い期間で実のある学びを得る。いま思うと、これこそが「超・学習法」であったと実感しています。

それ以降は、最先端の健康知識を学ぶためイタリアのサルデーニャ島やスペインのイビサ島に行き、合宿形式で朝から夜までみっちり5日間学んだり、タイのチェンマイで10日間の短期集中でマーケティングを学んだりと、「超・学習法」によるさまざまな効果を体験しました。

しかしながら、いまの日本は、なぜかゆっくりと学ぶ講座やセミナーが非常に多いです。「半年で10回」とか「1年で24回」といったペースでおこなわれる学び方では効率が悪いです。

それよりも「1か月で8回」というような短期で学べるコースのほうが、間違いなく効率よく学びが脳へ定着します。

もしいまあなたが「人に教える」という立場であれば、そういった「超・学習法」を意識してカリキュラムを組んでみてください。短期間に集中して学んだほうが、成果が出やすいということを体感できるはずです。

短期集中学習の5つのポイント

短期集中学習にはポイントがあります。ここでいくつかご紹介します。

・ポイント1「モデリングできる（見本となる）人を探す」

その分野で一流の結果を出している人を探して、できればその先生から直接学びましょう。1対1で学ぶのが理想ですが、難しければグループレッスンやオンラインレッスンでも構いません。

・ポイント2「得たい結果&理由を明確にする」

どんな結果が得たいかを数値化して、なぜ、なにがなんでもその結果を得なければいけないのかという理由を明確にしましょう。

・ポイント3「短期集中で学ぶ」

たとえば車の免許を合宿で取ったり、何かのスキルや知識を数日間の合宿などで集中的に学びましょう。

この期間だけは、人生の優先順位で〝学び〟を最重要事項に設定しましょう。

・ポイント4「期間をおいた復習をする」

短期集中で学ぶだけではなく、そこで学んだことを復習してください。

復習のタイミングについても、科学的に効果があるデータがあります。

有名な「エビングハウスの忘却曲線」から導き出した、最高の復習タイミングですが、学習した後24時間以内に10分間の復習をすると、記憶率は100%に戻ります。

次回の復習は1週間以内に、たった5分すれば記憶が復活。

そして、次は1か月以内に2〜4分復習すれば、また記憶はよみがえります。

タイミングをきちんと守れば記憶を保持し続けられ、かつ、学習効率が5倍以上も上がっています。

次のようなサイクルを意識するといいでしょう。

「覚えた直後に復習する」→「1日後に、再度復習する（半分の時間）」→「7日後に復習する（さらに半分の時間）」→「14日後に復習する（さらに半分）」→「1か月後に復習する（1分以下！）」というサイクルを意識してください。

・ポイント5「仲間とともに学ぶ」

コミュニティで学ぶことは大きな効果があります。

ひとりで黙々と勉強するよりも、仲間とともに学んだりディスカッションすることにより、記憶の定着率もアップするという研究もありますので、ぜひ仲間や友人と一緒に勉強したり、オンライン上のスタディグループを有効利用しましょう。

短期集中学習の5つのポイント

モデリング（見本となる）
できる人を探す

得たい結果＆理由を明確にする

短期集中で学ぶ

期間をおいた復習をする

仲間とともに学ぶ

超・学習法 6

「モデリング」を使って、理想の自分になる

結果を出している人には、結果を出している原因がかならずあります。

それは身体の使い方、マインド、スキルや知識、またフォーカスなどのさまざまな要素に分けられます。

たとえば望んでいる結果を出している人は、得たい結果にフォーカスし続けています。一時的に困難やむずかしい状態に陥ったとしても、望んでいる結果に目を向けて、柔軟に対応し、改善しながら行動します。

そして、もし私たちが、その人たちのような結果を出したいのなら、結果を出して

いる人がおこなっているオリジナルの知識やスキルを学び、実践していくことが必要になってきます。

成功者の「真似」をする

それを意識的に、体系立てておこなうことができるのが、NLPという心理学のスキルのひとつである「モデリング」です。

モデリングで、望んでいる結果に相応しい身体の使い方、マインド、スキルや知識、またフォーカスなどを真似して、日常的にその人になりきって生きることで、真似した行動や性格があなた自身になっていきます。

つまり、**モデリングとは、自分自身が望む結果を出している人の行動や思考法を真似て、なりきることによって、その人と同じような結果を得ることを可能にする最強のテクニック**なのです。


具体的な例としては、人前で堂々と話をする人の身体の動きやしぐさ、思考や感情、フォーカスなどを真似ることによって、スピーチが苦手な人でも堂々としたスピーチをすることができるようになっていきます（私自身も、自分のセミナー前に、モデリングしたい人の動画を何度も見直した経験があります）。

スポーツの場面でも、身体の使い方やトップ選手と同じ用具を使うことにより、その人により近づいていくことができます。

また、**モデリングをおこなう際は、見本となる人のしぐさや身体の動きなど、目に見えるものだけを真似るのではなく、見本となる人が持っているであろう信念や価値感などについても理解します。**

それによって、見本となる人が取るであろう行動をイメージすることができるようになり、まさに見本となる人と一体化するような体験をすることも可能となります。

あなたが得たいと思っている理想の結果を手にしている人を見つけ、しぐさ、クセ、身につけているモノ、価値観、思考、戦略など、すべてを真似することで、あなた自身も自然と理想に近づいていくのです。

「モデリング」で理想の自分になる

見本となる人のしぐさや身体の動きだけでなく、信念や価値観なども理解しよう!

モデルと同じような結果を得られる

超・学習法 7

3つのステップで、結果を具体的にする

あなたがいま何かを習得したい、学びたいと思ったら、まずはそのことで「どんな結果を出したいか」を明確にすることが大事です。

「将来的にどんな自分になりたいか」という結果、つまりあなたの目指すゴールを明確にすることで、学びたいという意欲が掻き立てられるからです。

そのうえで、「その学びは本当に必要なのか？」をジャッジしてから、学びはじめましょう。**学んだ先にある自分像と学ぶ理由が明確な人ほど、学びを習得する確率は確実にアップします。**

しかしながら、「夢」や「ゴール」という言葉のイメージだけが先行し、そこであ

きらめてしまう人が多いのも事実です。

先日、とある知り合いが「ギリシャに行くのが夢なんです」と言っていました。「なぜ行かないの?」と聞くと、「いまはお金がないんです」とのこと。そこで「あなたが行きたいギリシャ旅行には、どのくらい費用がかかるの?」と聞くと、「調べたことがないからわからない」と答えました。

私は仕事でギリシャに行ったことがあり、日本と離れているとはいえ、思っているほどお金がかからないことを知っています。

エコノミークラスに乗れば(時期にもよりますが)10万円台で行けますし、ホテルも1泊1~2万円で泊まることができます(ちなみにその方の年収は1000万円以上で、十分なお金や時間をすでに持っていました)。

少し調べれば間違いなく行くことができるのに、調べないだけで、なぜか「夢」で終わってしまっている。それではもったいないと思いませんか。

人は結果を明確にすればするほど、ぐっと現実味が増してきます。

すると、そこへ導くための具体的なプランがおのずと見えてくるものです。

だからこそ、ゴールを具体的にするという作業が必要なのです。

そして、ゴール・結果を明確にするためには、次の3つのポイントを意識することが大切です。

期限を設け、こまかく数値化し、最新の武器を持つ

1つめは、「期限を設けること」。

つまり、結果を出すまでの期限を決めるということです。

とはいえ、人は10年後の自分に向かっていますぐ行動することができません。

なぜなら、10年後は現実的ではないからです。

しかし、10年後までを具体的なロードマップにしてみると、途端に現在と未来がつながります。たとえば、

↓「10年後の自分はどうなっていたいか」

↓「そのために、5年後はどうなっていないと、それを実現できないか」

↓「そのために、1年後は何をはじめないといけないか」

↓「そのために、半年後は何をはじめないといけないか」
↓「そのために、1か月後は何をはじめないといけないか」
↓「そのためには、いますぐ△△△をするべきだ」

このように未来の理想とする自分までのロードマップを描き、未来からの逆算をしてみましょう。すると、いまこの瞬間に何を行動すべきかが明確になります。

2つめは「できるだけ具体的にこまかく数値化すること」。

たとえば「作家になりたい」という夢があるなら、ただ「本を出す」と決めるのではなく、「何万部を売り上げる」と具体的な数値を設定することです。

そもそも本を出すといっても、人によってそれぞれ価値観は違います。

1万部が目標という人もいますし、10万部を目標という人もいます。しかし、出版業界において1万部と10万部ではまったく意味合いが違います。

であれば、なおさら目標を明確にすること。

抽象的でぼんやりとした夢は忘れやすく、叶いにくいです。こうやってこまかく数値化することで、自分が何を学ぶべきか、何に取り組むべきかが自然と明確になってきます。

3つめは「結果につながる最新の武器を持つこと」。

たとえば、プログラミングを学ぶのに、20年前のパソコンを使っていては習得することはむずかしいでしょう。

何かを学びたいと思うとき、それにまつわるアイテムはとても大事です。

子どもが水泳を習うとなったとき、きょうだいから譲り受けた古い水着とゴーグルを使うのと、新品のモノを買ってあげるのでは、明らかにモチベーションが異なります。

それは大人も同じです。自分のモチベーションが上がる武器をひとつでも手に入れること。それがあるだけで心のお守りになることを覚えておいてください。

予算の許す限り、最新のモノやあなたの憧れの人が使っているものと同じ道具を使ってみましょう。きっとそれがあなたのモチベーションになるはずです。

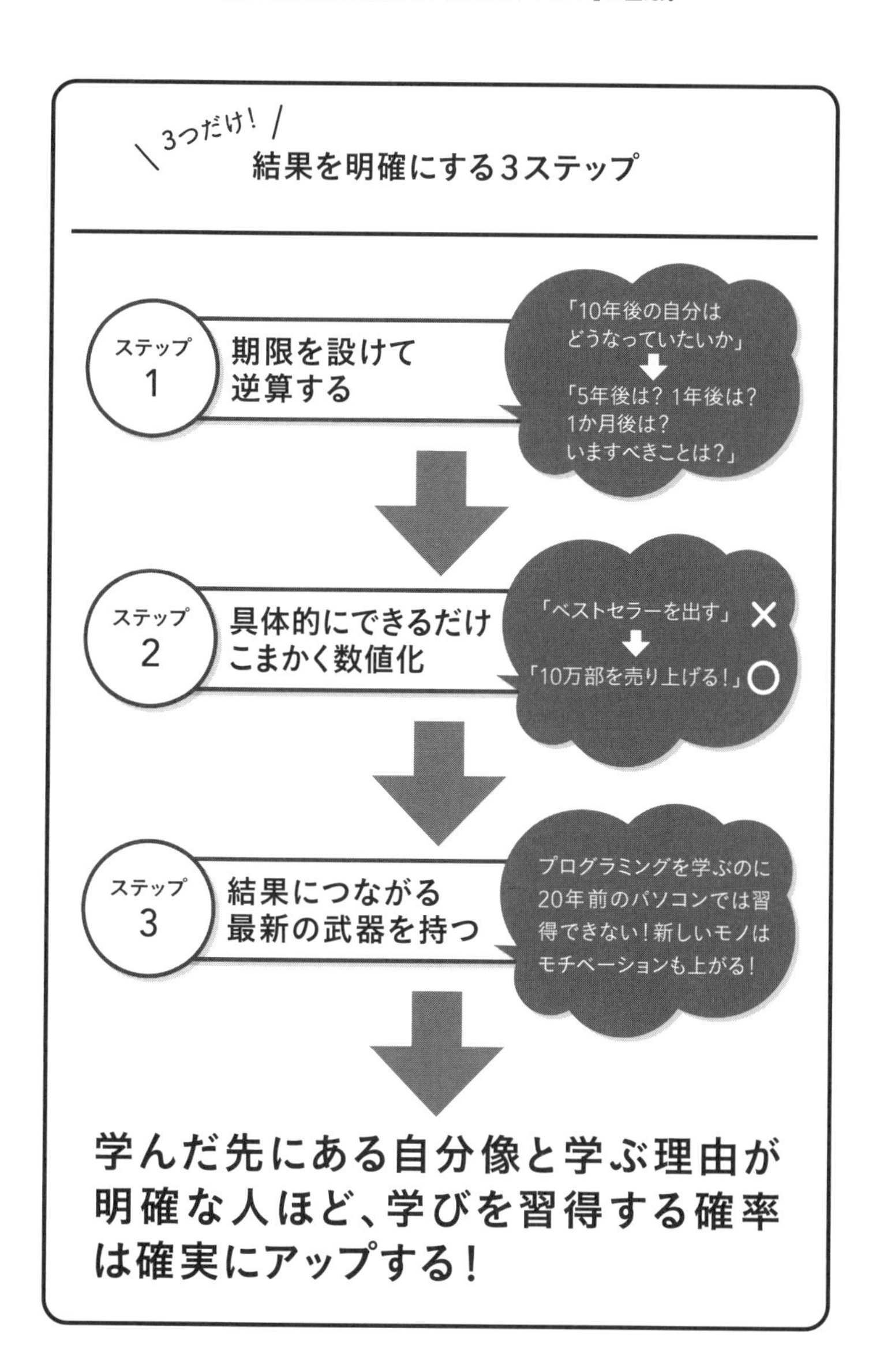
3つだけ!
結果を明確にする3ステップ
ステップ1
期限を設けて逆算する
「10年後の自分はどうなっていたいか」
「5年後は? 1年後は? 1か月後は? いますべきことは?」
ステップ2
具体的にできるだけこまかく数値化
「ベストセラーを出す」×
「10万部を売り上げる!」○
ステップ3
結果につながる最新の武器を持つ
プログラミングを学ぶのに20年前のパソコンでは習得できない！新しいモノはモチベーションも上がる！
学んだ先にある自分像と学ぶ理由が明確な人ほど、学びを習得する確率は確実にアップする！

超・学習法 8

ひとりで学ばず、みんなで学ぶ

いまの教育現場において、日本とアメリカには決定的な差異があります。

たとえば論文のテストのとき、（授業にもよりますが）アメリカではノートを持ち込むのが当たり前です。なぜなら論文とは〝考え方〟を問うテストであり、何を見ようが見まいが関係ないからです。

一方、日本ではどんなテストでも暗記重視で「カンニングはしてはいけない」という考え方が根づいており、ノートの持ち込みを禁止している学校が多いです。

つまり、同じ論文のテストとはいえ、何をよしとするかの視点がそもそも異なるのです。

グループワークのメリット

また、日本の学校は国語も算数も理科も社会も、基本的にひとりの先生がクラスの生徒に教えるという形で勉強をします。自習の時間ですら、ひとりで机に向かっておこなうことが当たり前です。

かたやアメリカでは、学校にもよりますが、毎日1時間ほどグループ学習というカリキュラムがあったり、一緒に勉強するスタディグループを開催したり、生徒たちが数人のグループに分かれ自主的に勉強をします。

グループワークは、みんなが同じ科目を勉強するわけではなく、それぞれが自分のわからないところを伝え合い、グループの誰かに教えてもらいます。これにより、先生には聞きづらいことも友だちになら気軽に聞けたり、生徒同士が教え合ったり知恵を出し合ったりすることで、刺激し合いながら学べるというわけです。

なにより、友だちと楽しみながら学ぶことができることが最大の利点です。

これはべつに、子どもにかぎった話というわけではありません。

大人になって、資格を取りたいとかダイエットしたいと思うときも、ひとりで淡々とやるよりも、同じ目的を持った仲間がいたほうが楽しいしやる気も湧くでしょう。

途中で挫折しそうになったとしても、「仲間がいるから」という思いがあれば、途中でやめにくい。何かを達成するためには、いい仲間がいると非常に心強いのです。

一緒に学ぶ仲間を選ぶポイント

そして、その仲間は「お互いを高め合うことができる人」が絶対条件です。

たとえば「いままで失敗ばかりしてきたから、きっと今回もダメだろう」と口にするような仲間のなかにいては、あなたも間違いなく流されてしまいます。だからこそ、いつも不平不満や愚痴ばかり言う人や、努力をしない人、悪い影響しか与えない人とも行動を共にしてはいけません。

となると、仲間選びは非常に慎重にならなくてはなりません。

仲間選びのポイントとしては、「あなたよりちょっと先に進んでいる人」がベストです。 あまりにもかけ離れた存在だと、どうしても「私には無理かもしれない」などと思ってしまい、あきらめてしまう可能性が高いからです。

同じ意識を持ち、同じように努力し、いい影響を与えてくれる「ちょっと先輩」。そんな人がいたら、迷わず声をかけましょう。


グループワークは学びという場だけでなく、ビジネスにとっても効果的です。

たとえば新しいプロジェクトを任されたとき、ひとりですべてを任されるよりもグループでやるほうが効率的ですし、モチベーションも持続します。

私も月に1回、経営者同士がビジネスの結果をシェアし合うというグループワークをおこなっています。

経営者たちが5〜15人集まり、ベストプラクティス（うまくいった事例）をシェアすることを「マスターマインド」と呼んでいます。

一見、企業秘密にしたいというようなプランや、うまくいった手法も隠さず話すことで、非常にいい相乗効果を得られ、信頼感、仲間意識を生みます。

グループワークの最後には、かならず「それぞれが次回までに△△をやりましょう」と、互いに課題を出します。

そうすることで、やらざるを得ないという逃げられない環境をつくるのもパフォーマンス維持のいいきっかけになります。お互いがほどよいプレッシャーとなり、刺激になるのです。

「ミラーニューロン」というモノマネ細胞を使いこなす

「ミラーニューロン」とは、イタリアの神経学者マルコ・イアコボーニ博士らによって1996年に発見された、通称「モノマネ細胞」と呼ばれるものです。

霊長類などの高等動物の脳内で〝自ら行動するとき〟と〝ほかの個体が行動するのを見ている状態〟の両方で活動電位を発生させる神経細胞です。

私たちの「成長」にはミラーニューロンが関わっています。脳内での行動シミュレーションは、他人の行動を真似することに役立つからです。

赤ちゃんは、ミラーニューロンの働きによって他人の行動を真似、学習し、知性を育てます。このことは赤ちゃんに限りません。大人も他人を真似ることで学習し、料理やスポーツなど日常的なことから、偉人の生き方を学ぶことまで、幅広く自分を成長させることができるのです。

しかし、ミラーニューロンがあるために発生する問題もあります。

暴力映像を見せられた集団と見せられていない集団では、見せられた集団で犯罪率などが多くなる傾向にあります。薬物では、一度足を洗ったとしても他人が薬物を使用する映像を見ることにより、再び薬物へ手を染めてしまうことがあるといいます。

では、どのようにこのミラーニューロンを「超・学習法」のなかで自己成長のために使いこなせばいいのか?

そのためには、「すでに自分が得たい結果やスキルを得ている人と、より多くの時間を一緒に過ごすこと」が大事です。

「人は自分が一緒に時間を過ごした人のようになっていく」という現実があります。

つまり、自分が理想とする人たちの行動を認知できる脳の性質であるミラーニューロンを利用して、その人とより多くの時間を過ごしていけば、彼らの思考法や学習法を効率よく学べたり、その人の行動を自然と真似し、また必要なスキルアップをしていけるというわけです。

超・学習法 9

習慣を変えるのではなく、環境を変える

人は誰でもオリジナルの習慣を持っており、その習慣は、どんな環境で生活しているかによってつくり上げられます。

何時に起きて何時に寝るか、どんなものを食べているか、どんな行動をしているか……日によって多少変化はあるとしても、だいたい同じような行動をとっています。

そして、その習慣はなかなか変えることができません。

一度ついてしまった習慣は、想像以上に身体に染みついています。

たとえば、普段朝早く起きられないという人が「よし、明日から5時に起きてランニングをしよう」と思っても、よほど強い意志がなければ、数日、長くても数か月過

ぎれば、また元の生活に戻ってしまいます（ここだけの話、私も何度もそのような経験があります）。

なぜなら、人は元に戻ろうとする恒常性維持機能を持っており、元に戻ることを「正しいこと」と身体が認知しているからです。

ダイエット中の停滞期はまさにこれによるもので、ダイエットが順調に進んでいるからこそ起こる現象と言われています。

この機能を打破できるほど強いメンタルを持ち続けることは、何をするにしても、なかなかむずかしいことではあります。

であれば、いっそのこと、この機能をプラスに働かせればいいのです。

人間は、意志力よりも環境の力のほうが強いからです。

そのためには、まずは自分が理想とする環境を強制的に用意するということが重要になります。

たとえば、私は朝起きたらかならずヨガをします。

そのため、あえてリビングの目立つところにヨガマットを敷いています。

ヨガをしたいと思うときだけヨガマットを敷くとなると、間違いなく「面倒だからいいか」という気持ちになってしまうからです。

つまり「ヨガマットが敷いてあるから、気づいたらヨガをしてしまう」という、自動的にヨガをする環境をつくっているから、続けることができるのです。

このように、やらざるを得ない実践環境をつくることで、強制的に恒常性維持機能を働かせて理想の生活へと変換させるのです。

強制的に「実践環境をつくる」

私の知り合いに、こんな方がいました。

彼は「身体を鍛えたい」と思いつつも、ジムは何度入会しても続かない。かといって家で筋トレをするのも面倒くさくなってしまうと言います。

そこで、自宅でトレーニングをしてくれるパーソナルトレーナーを雇ったところ、すんなり続けることができたそうです。

トレーナーに家に来られたら、さすがに「やる気がないから、帰って」とは言えないし、お金を払っているぶん「せっかくお金も払っているし、やらなきゃ」という気持ちが自然と湧いてきたことが、続けられる理由だったそうです。

つまり、なかば強制的に実践する環境をつくったことで、すんなりと目的を達成することができたのです。

また、漫画が大好きだという友だちは「この1年間、集中して英語を学びたい」と思い、漫画をすべて捨てたといいます。

これは少々荒療治かもしれませんが、そのくらい強い意志と環境を持つことができれば、かならず目標を達成することができます。すべての漫画を英語の漫画に変えるのもいい代替案でしょう。

また実践環境を知るために、それをすでに叶えている人たちがいる場所へ足を運んだり、空気を味わったりすることも良策です。

たとえば「将来イギリスに住みたい」と思うなら、Googleアースなどでイギリスの街並みを探索してみたり、実際にイギリスに住んでいる人のオンラインコミュニティに参加したり。「起業して成功したい」と思うなら、実際に起業をして成功している人に会いに行ってみたり、その人のオンラインサロンに入るのもアリです。すると、夢を叶えた自分像が身体に刷り込まれ、夢や目的がぐっと現実へ近づきます。

ちなみに、桜蔭高等学校という高校は、東大の合格率が非常に高いのですが、なぜかご存じでしょうか？　もちろん元々の偏差値が高いのもありますが、じつは東大の目と鼻の先にあり、東大を日ごろから身近に感じることができているため、受験の日でも緊張することなく自分の力を十分に発揮できる、と言われています。

「ビリギャル」という映画で有名になった小林さやかさんも、映画のなかで実際に名古屋からわざわざ志望大学であった慶応大学を見学に行き、その環境を先に実際に体験していました。これも非常にいい戦略です。

また、ベストセラー作家で有名な勝間和代さんも、

「多くの人は、望む結果が得られないとき、自分の能力不足であると考えたり、自分の意思不足であると考えて自己啓発に励んでしまう。しかし、その原因は自分自身で

はなく環境の問題であることがほとんど。環境が整っていれば結果は出る。自分磨きは1～2割にして環境整備に8～9割使ってみてください」

と、仰っています。


つまり、なりたい自分をつくるための実践環境を先につくること。

そして、その夢を叶えている人の環境にふれること。

これを実践すれば、間違いなくなりたい自分にぐっと近づくことができます。


何を学び、どういう人になりたいかを決めるのは、すべてあなた次第です。

あなたのマインドが、あなたが行きたい方向へと向かっていれば、どんなことがあろうといつかかならずたどり着きます。

これは携帯に搭載されているGPSシステムとまったく同じです。**あなたが明確な目的地と現在地を入れれば、そこへのたどり着き方はかならず出てきますし、いまそれがわからなくても、その戦略を学ぶことは可能です。**つまり、何を選択し何を目指すかは、すべてあなたの環境にかかっているのです。

超・学習法 10

どうしても学習する気が起きないときは「5秒ルール」を使う

元ニューヨーク州の弁護士メル・ロビンス氏は、自身の家庭生活が崩壊している失意のなかで観たテレビCMのロケット発射シーンから「**5秒ルール**」のアイデアが浮かんだといいます。そして、それを実践することで人生が好転していったとか。

5秒ルールとは、何かをはじめようと思いついた瞬間から、

「**5、4、3、2、1……**」

とカウントダウンして、0になるまでにやってしまうという方法論です。

なんだか子どもだましのような方法ですが、実際にかなり効果があります（私も朝起きるときや、やりたくない仕事や勉強のときに、じつはよく使っています）。

大事なのは、「やる気に関係なく身体を動かす」というところです。

これを実践すると、「朝すぐに起きられるようになる」「学びをスケジュール通りこなせる」「考えるより先に身体が動く」といったさまざまなメリットを受けられます。また、「行動する前に考えすぎて、何もできないまま終わる」といったことを減らしてくれます。

脳の「自動運転」と「非常ブレーキ」とは？

脳には「自動運転」と「非常ブレーキ」があり、5秒ルールでこれらの命令を阻止できるのだそうです。

人間のルーティーンワークは、自動運転として脳にインプットされています。つまり人間は、同じ行為を無意識に毎日おこなっているのです。

脳はいつもとは違うパターンの行動を起こそうとすると、それを拒否します。それが「脳の非常ブレーキ」です。そして、これを打破するのが「5秒ルール」というわけです。

5秒ルールを身体で理解するために、まずは簡単な内容からするといいでしょう。

朝、目が覚めたときには「5秒以内にベッドから起きる」、本を読みたいときは「5秒以内にとりあえず本を開く」、勉強しなくてはいけないときは「5秒以内に机に向かって椅子に座る」など、何かをはじめるための第一歩を、5秒ルールでおこなってみましょう。

一歩目が踏み出せれば、あとは身体と脳が自然に学びを継続できるように変化していくことでしょう。

人間は新しい学びや勉強をするときは腰が重いですが、一度それをはじめて、その学習をすぐ実践するための環境をきちんと整えれば、自然と脳や身体が勉強を習慣化できるようになっていきます。

「5秒ルール」で学びを継続する

やりたくない勉強や仕事をやらなくては…

脳はいつもの行動とは違うパターンを起こそうとすると拒否をする＝**脳の非常ブレーキ**

打破するのが「5秒ルール」!

→「5秒以内にベッドから起きる」
→「5秒以内に机に向かって椅子に座る」etc….

一歩目が踏み出せれば、身体と脳が自然に学びを継続できるように変化していく!

効率的に「強い記憶」を定着させる方法

我々の忘却してしまったものこそ、
ある存在をいちばん正しく
我々に想起させるものである

マルセル・プルースト

第1章

誰にでも、ひとつやふたつ、
どうしても忘れられないという記憶があるはずです。
楽しいことよりも、むしろつらかったとか
恥ずかしかったという思い出のほうが、忘れることができません。
学びの場でもそう。
頭だけでなく、五感を通して全身で強烈に感じることができれば
あなたの記憶力は信じられないほどアップします。

超・学習法 11

「未知（ラーニングゾーン）」と「既知（コンフォートゾーン）」をつなげる

記憶を「暗記すること」と思っている人が非常に多いです。

たしかに暗記も大事です。しかし、本来は丸暗記ではなく「**そのものごとが自然とインプットされている状態**」**のことを「記憶」といいます。**

記憶できていて、それを実践できている状態というのは、コンフォートゾーン（既知）とラーニングゾーン（未知）がつながった状態のことです。

たとえば私は毎朝健康のためにコールドプレスジュースをつくります。しかし、毎回レシピを見ながら野菜の分量を測ることはしません。なぜなら、いままで何回もつくっている経験があるので、自然と分量や材料を覚えているからです。

これこそが、記憶されている状態です。

未知のものを記憶するための効率的な方法

そもそも、何かを学ぶというのは「未知のものを知る」ということになります。いままで知らなかったことを知るというのは楽しい反面、むずかしく、あきらめやすいという弱点があります。しかし、その弱点を打破するには秘策があります。

それは、「自分がすでに得意なことや知っていること、普段からよくやることと結びつける」ということです。

つまり、既知と未知をつなげるということです。

たとえば、テニスが得意な人が英語を勉強したい場合は、海外のテニス雑誌を買って読んだり、外国人が多数いるテニスクラブに入会したり、テニスという共通点を使い、英語を学ぶことが可能です。

おそらく、すでに自分がいくつかの専門用語や単語を知っていることに気づくでしょう。まったくの未知の分野を英語で学ぶより、はるかに学びやすいはずです。

また、ダイエットをしたいという人が突然、週5でジム通いをするのは、ハードルが高いでしょう。しかし普段歩くことが多い仕事についているなら、スマホにすでに内蔵されている歩数計のアプリを毎日確認し「かならず1日1万歩、歩く」と決めたほうが続けやすく、ダイエットを成功する可能性がぐんと上がります。なぜなら、それはすでに毎日やっていることの延長線上にあるからです。

確かにまったく知らないことを学ぶときは、ときにはネガティブな思考に引っ張られることもあるでしょう。しかし、**既知のものと結びつけることで、簡単に学びのハードルを下げることができます。**

つまり、自分の身近なものの延長にその学びを置くこと。あなたの既知の幅を広げながら、未知を広げていくことが、目標達成するための秘策です。

未知と既知をつなげる5つの戦略

ためしに「動画編集」というスキルを学びたい、という場合の、未知と既知をつなげるステップを次ページで例として挙げてみましょう。参考にしてみてください。

未知と既知をつなげる5つの戦略（動画編集スキルの場合）

戦略01

まず、学びたい分野のなかで、自分にとって未知のスキルや知識を明確にします(例：動画編集)

戦略02

その未知のスキルや知識のなかで、自分がすでに知っている「既知」を探す
(例：動画編集は「動画のカット」「テロップ入力」が必要と知り、たとえばアナタはすでにTVなどでテロップを見たことがある状態であれば、「ああ、あの文字を動画に入力すればいいのか！」と理解できます)

戦略03

その未知のスキルや知識を、既知を使いながら学びます
(例：テロップの入力の仕方、動画編集ソフトの使い方を学びます)

戦略04

60%くらいの理解でも、まずはその知識を使ってみます(アウトプット)

戦略05

そこで間違えたことや失敗したことを改善して、やり方を変えてみます(未知と既知をつなげるプロセス)

超・学習法 12

五感を使って覚える

「英単語を覚える」というと、あなたはどういう方法を思い浮かべますか。

多くの人は単語帳に単語を書き、裏に日本語の意味を書いて、何度もめくって覚えるとか、単語を赤ペンでなぞり、赤色の紙で隠しながら覚える、といったやり方を思い浮かべる人が多いのではないでしょうか。

何を隠そう、私も英語を学ぼうと思いはじめたころは、このようなやり方で覚えていたこともありました。単語帳をつくるというのは、単語を書かなければいけないし、それはアウトプットという意味でも有効的だと思ったからです。

しかし、このやり方では意外にも脳に定着しませんでした。

では、どうやって単語を脳に定着させるかと考えた末、思いついたのが「**目に見えるものすべてに英単語を書いた付箋(ふせん)を貼る**」ということでした。

たとえば、マグカップには「Cup」と、眼鏡には「glasses」、傘には「umbrella」のように、部屋中にあるものすべてにペタペタと付箋を貼ったのです。

日常生活をしながら、ふとした瞬間に英単語が視界に入ってくることは、脳への定着という意味で想像以上に効果的でした。

つまり「さあ、覚えよう」と気を張った状態ではなく、リラックスしている状態だからこそ、すんなりと頭に入れることができたのです。

また、付箋が貼られたアイテムを直接触れることで、視覚だけでなく触覚としても刺激され、体感として記憶できると知りました。

それを機に、「**五感に作用すればするほど、頭と身体で覚えることができる**」ということがわかったのです。

たとえば聴覚を刺激するために、邦楽ではなく洋楽を聞いたり（正直、それまで洋楽は「ビートルズ」しか聞いたことがありませんでした）、オーディオブックはかならず英語で聞くようにしたり、味覚を刺激するために食材の単語を調べながら料理をしたり——。

もちろん最初からすべてが100%理解できたわけではありませんが、60%程度の理解でいいので、何度も繰り返し学ぶことにより記憶に定着させていきました。

勉強というと、どうしても「視覚」だけを使いがちですが、さまざまな感覚と組み合わせることで相乗効果をもたらし、頭と身体にすんなりとインプットされることが身をもって実証されたのです。

身体や感情を使いながら覚える

英語のフレーズがどうしても覚えられなかったときは、身体を使って覚える方法を取り入れ、結果が出ました。

たとえばエレベーターを降りるときに、相手に先に譲りたいときは「お先にどうぞ（After you）」と言いますが、**自分の手を相手の行く先に出して「After you」と、実際に口に出して身体を動かしながら繰り返すと、身体と脳がつながり、記憶が定着**

しやすいのです。

また、感情を使いながら覚えるのも非常に効果的です。

あまりいい例ではないかもしれませんが、あなたは2011年3月11日に自分がどこにいたか、何をしていたのか覚えているのではないでしょうか（東日本大震災があった日です）。しかし、2012年3月11日はどうでしょうか？　おそらく思い出せないはずです。

頭のなかでフレーズや単語を覚えようとするのではなく、実際にその場面をイメージしながら、身体を動かしたり、声に出してみましょう。そのフレーズを使う場面がよりリアルにイメージでき、それを実際に声に出してみると、そのフレーズを見ながら覚えようとするより、はるかに記憶度合いが高まります。

これは科学的にも証明されており、東北大学加齢医学研究所教授で脳機能開発が専門の川島隆太氏によれば、**音読をすることによって脳が働きやすくなり、音読直後の記憶の容量は何もしないときと比べて、なんと20～30％も増える**ということです。

嗅覚を刺激すると、学習の効果が上がる

ほかにも、嗅覚は感情にダイレクトに作用することがわかりました。

誰にでも、「このニオイをかぐと、昔好きだった人のことを思い出す」とか「このニオイをかぐと、あの場所を思い出す」といった経験があると思います。**これは「プルースト効果」と呼ばれるもので、ニオイにより記憶がフラッシュバックすることをいいます。**

反対に、初対面で「この人なんか臭い」と思ったら、瞬間で相手に嫌悪感を抱いてしまいますし、そのイメージは何年経ってもなかなか払拭することができません。

脳科学の観点から見ても、ニオイは直接大脳辺縁系にある海馬に届くという、ほかの機能にはない感覚や特徴を持っており、その伝わる速さは0・1秒と言われています。つまり、**嗅覚は何よりも強烈に、最速で脳へ刺激を与える**のです。

何かを学ぶということは、いかに脳へダイレクトに届かせ、記憶を定着させられるかにかかっています。であれば、嗅覚を学びに活かさない手はありません。

そこで私は、さまざまな香りについて調べました。

すると、記憶力をアップするには、ローズマリーやティーツリー、バジルなどの香りで脳の海馬を刺激するのがもっとも効果的だと知りました。

それ以降、講座やオンラインコースやセミナーなどの学びの場で集中したいときは、アロマオイルを使って、ローズマリーなどの香りを身体につけるようにしたのです。

また、寝る前などリラックスしたいときは、ラベンダーのアロマを焚いたり、眠気を覚ましたいとか、やる気が出ないといったときは、集中力を高める作用のある成分「カンファー」を含むローズマリーの香りをつけることで頭をシャキッとさせています。

このように、シーンに合わせた香りを生活に取り入れると、メリハリをつけ、時間を有効に使いながら学ぶことができます。香りの専門書ではないので、ここではこの程度しか触れませんが、さまざまな書籍や論文などで香りの有効性も証明されているので、ぜひ参考にしてみてください。

超・学習法 13

頭だけではなく、全身を使う

日本の中学校や高校では、3年生になると受験に集中するためという理由で、部活を引退するのが主流です。しかし、私は逆効果だと思います。

なぜなら、身体を動かしたほうが、脳が活性化するからです。

たとえば、

「勉強をしなくちゃいけないのに、どうしても眠い」

「資料をつくらなきゃいけないのに、集中できない」

といった場合、あなたはどうしますか？

多くの人は眠気を覚ますためにカフェインを摂取したり、ガムをかんだりすると答えます。しかし、少しでも身体を動かすほうが頭はスッキリするのです。

適度な運動をしたほうが、学びのパフォーマンスは上がる

実際に、米・ジョージア工科大学の研究結果によると、「**20分の筋トレをおこなうことで記憶力が10%高まる**」ということが発表されています。

また、メディカルジャーナルの調査では、「**子どもはヨガをさせたあとがもっとも学習の効率が上がった**」という結果が出ました。ヨガプログラムにより、子どもたちは全体的な運動能力スコア（バランス、強さ、柔軟性）に前向きな変化を示しただけでなく、さらに社会的行動の変化と、学校外の状況での、プログラムで学んだ知識の使用が報告されました。

これらの研究結果が示すように、毎日何時間も運動する必要はありませんが、多少なりとも身体を動かすことがパフォーマンスをアップさせることは間違いありません。

個人的には朝に15～20分くらい日光を浴びながら散歩をしたり、毎朝15～20分くらいのヨガと15分程度の瞑想を毎日やってから、お気に入りのコーヒーや抹茶を飲んで仕事に取り掛かると、生産性が普段の2倍くらいにアップしているのを実感しています。逆に朝にバタバタしてすぐに仕事に取り掛かると、つねに時間に追われるような気持ちになり、生産性がダウンしてしまうのです。

運動や水分補給をしながら記憶する

さらに、運動時の水分補給も、学びに重要な役割を果たします。

イースト・ロンドン大学とウェストミンスター大学の研究者らによれば、CANTAB（The Cambridge Neuropsychological Test Automated Battery）と呼ばれる**認知機能テストに取りかかる前に、約0・5リットルの水を飲んだ人は、飲まなかった人と比べて約14％もテストに対する応答時間が速くなった**のだそうです。

この研究グループのリーダーであるキャロライン・エドモンズ氏は、わずかな水分不足であっても、知的パフォーマンスに影響を与える場合があると言います。

五感と身体を使って、集中力UP！

「座って勉強」だけじゃダメ

①五感で覚える

五感に作用すればするほど
頭と身体で覚えることができる！

（例）
身体を使う… 「After you（お先にどうぞ）」と言いながら、
手を相手の行く先に出す
感情を使う… 実際にその場面をイメージし、音読。
音読直後の記憶の容量は20〜30%も増える！

②全身を使う

身体を動かしたほうが、
脳は活性化する！

（例）
→20分の筋トレで10%記憶力が高まる
→散歩やヨガなどをしてから、仕事をすると生産性UP！

③適切な水分補給をする

（例）
→ テスト前に約0.5リットルの水を飲んだ人は、
飲まなかった人より14%も応答時間が速くなった

また精神科医のアンダース・ハンセン氏によれば、アメリカでおこなわれた実験において**「週に3回、40分早足で歩く」ことを1年間実践した人のグループは、記憶力をつかさどる脳内の「海馬」と呼ばれる部位が平均2％以上も大きくなった**のだとか。

ほかにも、**単語テストを受ける際、運動しながら、あるいは運動してから暗記をすると、何もせずに暗記をした人よりも覚えられる単語数が20％増えた**というデータもあると伝えています。

これらの効果を組み合わせると、運動と適切な水分補給によって、集中力や記憶力を高められることがわかります。

超・学習法 14

インプットとアウトプットの比率を3：7の黄金バランスに

インプットとアウトプットの割合として、脳科学の研究でもはっきりと示されている比率は「**インプット3：アウトプット7**」です。これが記憶をもっとも効率化する比率です。

これについては、コロンビア大学の心理学者アーサー・ゲイツ博士が興味深い実験をしています。

小学3年生から中学2年生までの100人以上の子どもたちに、「紳士録」（人名年鑑）に書かれた人物プロフィールを覚えて暗唱するように指示しました。

子どもたちに与えられた時間は9分間でしたが、そのうちの「覚える時間」（インプット時間）と「練習する時間」（アウトプット時間）の割合は、グループごとに異なる時間が指示されました。

結果としては、インプットに約30％の時間を費やしたグループのほうが、平均して高得点をとりました。

つまり、この実験結果からも、7割の時間をアウトプットに振りわけるのが、効果的な学習法といえます。

「これは役に立ちそう」と思い買った本も、読み終わってしまえばそれだけで満足し、そのまま本棚へ、という人も少なくありません。

アメリカの大手出版社によれば**「購入された書籍全体の95％が読了されていない」**というデータがあります。

さらには**「購入された書籍全体の70％は、一度も開かれることがない」**という恐るべきデータもあります。

せっかく学習をしようと思ったのに、途中で挫折したり、そもそも学びを開始しないともったいないですよね。

同じように、趣味や習いごと、ビジネスに関わるスキルなども、少し教わっただけ、またはコースや本を購入しただけで満足し、実生活に活かすことができないという人も多いです。

これでは本当の意味で学んだとは言えません。せっかく自発的に行動したことなのに、無駄になってしまいます。

正直に告白すると、私も過去に「学びきれなかった」という経験があります。自己投資をはじめた最初の5年間は、本やセミナーで学ぶだけで自己満足しているタイプでした。学生時代から親に借金をしたりして100万円以上を学びにつぎ込んでいましたが、いわゆるノウハウコレクターになってしまい、まったく実践をしていませんでした。

だからこそ、どうしたら学んだスキルを活かすことができるか考え続けてきました。そして、さまざまな体験のなかから、あるひとつの結論にたどり着いたのです。

その結論が「インプットとアウトプットを3：7にする」ということです。

つまり、学んだものをすぐ活かすという意味ですが、セミナー受講や読書の際に役立つのが「**アクションリスト**」です。

アクションリストとは、ＴｏＤｏリストをさらに詳細に詰めたようなものです。

「アクションリスト」をつくる

では、アクションリストはどのようにつくればいいのでしょうか。

大きく分けて、やることは3つのみです。

（1）具体的なアクションをリストにして書く（思いつくままいくつも書く）

（2）いつまでに行動するかを書く（できれば1週間以内）

（3）依頼する人や購入するサイトなど、行動せざるを得ない外部環境をその場でつくる（人のモチベーションは24時間以上続かないため）

参考までに、私のアクションリストをご紹介します。

筆者のアクションリスト2つの例

事例1

「戦略的マーケティング」のセミナーについて

アクションリスト

今週中にYouTubeの動画を10本撮りだめする
(来週の水曜日、カメラマンYさん)

今月中にセミナーのチラシを作成し、配布する
(部数1000部、コピーライターKさん)

新刊の企画書を書く
(来年の7月までに、書籍編集者Kさん)

事例2

「最先端健康法」のセミナーについて

アクションリスト

ジムに入会し、パーソナルトレーナーを雇う
(来週の土曜日、トレーナーTさん)

サプリメントを5種類、購入する
(来週の水曜日、「Iherb」のサイト)

睡眠時間を計測するアプリを使い、毎日睡眠を計測し、改善する(来週の月曜日、アマゾン)

このように、学んだスキルをすぐにアウトプットするタスクをリスト化し、強制的にそれを実践する場を計画するのです。

この流れが身についてくると、何かを学ぶ前から「△△を学んだあとは、あれをしよう」「この学びは△△のときに役立てよう」という意識が芽生えます。

そして、学んでいる最中も、その後どのようにアウトプットするかを意識しながら学ぶことができ、集中力・記憶力が研ぎ澄まされ、さらに深く学ぶことができます。

人は目的がないと、意識がラクなほうへと流されてしまいます。

しかし「これを学んだあと、すぐに実践しなくてはならない」となると、ダラダラしてはいられません。つまり、何かを学ぶ前にはかならず「なぜ、自分がこれを学ぶのか」という目的を自問自答して、深く考えていく必要があります。

たとえば本を1冊読むときも、ただ普通に読むのと、このあと誰かに内容を説明しなければいけないと思いながら読むのでは、読む姿勢が変わってきます。

学ぶという場において、そのあとアウトプットするという緊張感を持てるかどうかが、学びを活かせる人、活かせないままで終わる人の違いなのです。

超・学習法 15

失敗の経験こそ、学びとして受け取る

アメリカで経営者をしている億万長者の友人は、毎晩子どもに「今日はどんな失敗をした？」と夕食のテーブルでかならず聞くそうです。

もちろん、いろいろな雑談をするなかでこの質問をするそうですが、**「今日は算数の授業で手を挙げたけど、間違えてしまった」「サッカーの試合でゴールできなかった」などと子どもが答えると、それに対してその友人は「それは素晴らしい経験をしたね！」と褒めてあげるそうです。**

反対に「今日は何も失敗しなかった」と答えたときは、「じゃあ明日は失敗をするかもしれないけど、挑戦できることをひとつでもいいからやってみようね」と、声をかけるそうです。

この友人の話を聞いて、日本とアメリカの親子関係の違いを見せつけられた気がしました。なぜなら、いまの日本は、なるべく子どもが失敗しないように親が手をかけてしまうことが多いからです。子どもの意思とは関係なく、「勉強についていけなくならないように」と塾に通わせたり、「いじめられないように」と相性が悪い子どもと別のクラスにしてもらうよう先生にお願いしたりと、親が勝手に子どもの未来を予測して行動している、いわゆるモンスターペアレンツがたくさんいるそうです。

アメリカにもこういう親がいないとは言い切れません。

しかし、少なくとも、失敗しそうなことにあえて挑戦させようとするこの友人の教育は、いまの日本とは真逆ではないでしょうか。

失敗なくして成長なし

スタンフォード大学のキャロル・S・ドゥエック教授は、「**失敗とは我々のマインドセットの問題である**」といいます。

キャロル教授は、これまでに膨大な量のリサーチをおこない「このまま失敗に終わってしまうのか？　それとも乗り越えることができるのか？」という逆境に立たされた人がギブアップに流れる場合、そこにはどんな要因があるのか、ということを明らかにしました。その結論はあきれるほど単純なものでした。

「すべてはあなたの頭のなかにあるのです。人間の能力は意志の力と努力で変えられます。一度の失敗であきらめてしまうのではなく、その失敗から何が学べるか、どうすれば次に成功できるのかを考えてみることが大事です」

というのです。

余談ですが、私が英語を勉強しはじめたとき、たまたま大阪の駅前でアメリカ人に道を聞かれたことがあります。「△△はどこですか？」と場所を聞かれたことは理解できました。しかし、その場所を教えてあげようとすると、頭が真っ白になってしまい、簡単な英語の単語が出てこない……。

「あっち、あっち」と指をさすのが精いっぱいで、悔しかったことを覚えています。

そんな悔しい記憶から、「次に道を聞かれたときは、絶対に答えられるようにしてやろう」と決意しました。

つまり、失敗したことが学ぶ意欲を駆り立ててくれたのです。この失敗はムダではなく、その失敗をキッカケにして、英語を本気で学ぶようになれました。

あなた自身も、「車をぶつけてしまった」とか「大切なものをなくしてしまった」といった悔しい経験をしたとき、今後は二度と同じことを繰り返さないように気をつけようと思ったことがあるはずです。

つまり、人は失敗したときこそ学ぶことができ、それが成長につながります。

もしあなたに子どもがいたり、あなたが教育者といった立場にあるのなら、ぜひとも失敗する大切さを伝えてあげましょう。

親や先生が「失敗こそ最大の学びだ。どんどん挑戦し、失敗しよう」といい続ければ、間違いなく子どもたちはもっとのびのびと、能動的に行動しはじめるはずです。


人間は行動をすると、何かしらの結果が得られます。

その後、それによって信念をつくり、それに基づいて自分の可能性を決めていき、その可能性に基づいた行動を取ります。

失敗なくして成長なし

悔しい思いなど、人は失敗したときにこそ学ぶことができ、成長につながる！

打率  打席数

とにかくバットを振れ！

成功するうえで大事なのは、「どれだけ打席に立って、バットを振ったのか」ということ！！

大事なのは、何か行動した結果が得られたあとに、それがたとえ他人から見て失敗だったとしても、自分がそこから何かを学んだり、次はその失敗を繰り返さないと決めたり、次に取る行動を改善すること。

そこから自信が得られ、次はもっと思い切った行動が取れるようになれます。何度失敗しても、そこから学びを受け取り、行動を改善していけばいいのです。

成功するうえで大事なのは、もちろん打率もですが、それ以前に「どれだけ打席に立って、バットを振ったのか」です。

だからこそ、成功の数よりも失敗の数（行動量）が重要になってきます。

超・学習法 16

100回の練習より、1回の本番

「100回のスタジオより、1回のライブ」

これは、とある有名なミュージシャンの言葉です。

「100回スタジオで練習するよりも、1回ライブ（本番）するほうが何倍もうまくなる」という意味ですが、これはまさに、**実践環境をつくることが学びの質を高める、**ということを表しています。

たとえば、あなたがいまギターを習っているとしましょう。

「ただ教科書に沿って教えてもらうだけ」というのと、「1か月後に、ライブでその曲を弾く」という具体的な目的があるのでは、学ぶ意識がまったく異なります。

スポーツの世界においても、オリンピックや大会など、自分の力を試す場があるからこそ、がんばることができるのではないでしょうか。

子どもの習いごとの発表会などもそうです。目的もなくただピアノを教えてもらうだけでは飽きてしまいがちですが、発表会など練習の成果を見せる場があるからこそ、やりがいを持ち続けることができます。

つまり、アウトプットする場があるからこそ、人は集中して学ぶことができることを表しています。

いまこの時代は、何かを学ぼうとすれば、それを教わる場がたくさんあります。

私自身も、起業当初はなにかと勉強しなくてはいけないことがたくさんあり、数多くの講座やセミナーに足を運びました。

たくさんの学びの場に身を置くと、人気のある講師・伸びている企業の社長というのは、何かしら「教える立場」であることに気づきました。

企業であれば、「週に1回、かならず社員研修をしている」とか、「グループワークに力を入れている」とか、個人であれば定期的に講演会や講座、人材育成をしている人など。

つまり、自分の知識を人に教えるシーンが多い人ほど、売り上げも人脈も社会的にも伸びていたのです。

現に、心理学者のドナルド・ヘブにより「**アウトプットすると記憶形成されやすい**」ということが証明されています。

1973年の論文で、神経学者のブリスとレモは、ウサギの海馬にある貫通線維を電気刺激した際の海馬細胞の活動を記録しました。

線維を何度も連続して刺激するなかで、連続刺激の前後で（1回のみの刺激よりも）海馬細胞の反応性が高まることを発見しました。要するにこれは、ヘブが唱えた「**AがBを何度も活性化させると**（**何度もアウトプットすると**）、**AとBの結びつきが強くなる**（**記憶が強くなる**）」ことを証明する結果でした。

つまり誰かに自分の知識やスキルを教えるという行為は、一見相手のためのように見えますが、じつは一番自分のためになっていることを証明しているのです。

では、実際にどのようにアウトプットするといいのでしょうか。

アウトプットのやり方

(1)ノートなどに、自分が学んだことを、自分が思い出すために書く

まずは自分が学んだことをノートやメモ帳に自由に書いてみましょう。メモ書きや箇条書き、走り書きでも構いません。

たとえば読書ノートをつけるなら、その本に書いていたこと、自分が新しく学んだこと、自分が感じたこと、取り入れると決めたことなどをノートに書いてみましょう。

(2)ブログやSNSに、自分が学んだことを、人に伝えるために書く

いま、ほとんどの人がひとつくらいは、何かしらのソーシャルメディアのアカウントを持っているのではないでしょうか。普段なかなか何を書けばいいかわからないという人も、自分のアウトプットという目的のために、試しにブログやFacebookに学んだことを書いてみましょう。

人に伝えるとなると、自分が学んだポイントを箇条書きでわかりやすく、自分が感

じたことや思ったことを書く必要があります。

（3）自分が学んだことを人に話す

学んだことを実際に口に出したり、人に説明してみると、一気に自分の理解度が高まります。なぜなら、自分の頭のなかで整理して論理的に人に説明する必要があるからです。家族や友人などに、自分がその日や前日に学んだことをシェアするクセをつけて、積極的にアウトプットをしてみましょう。

（4）自分が学んだことを実践する

学んだことを実際に行動に移してみましょう。

やってみることで、学んだ通りうまくいかないこともあるでしょうし、逆にやってみたらすぐにできたというケースもあるでしょう。

学んだことをその日すぐに実践することで記憶に定着しやすいというデータもありますので、何かスキルや知識を学んだらすぐに実践するか、実践するためのスケジュールを組みましょう。

アウトプットの方法

①ノートやメモ帳に、学んだことを自分が思い出すために書く。
メモ書きや箇条書き、走り書きでもOK

②ブログやSNSに、学んだことを人に伝えるために書く。
人に伝えるとなると、わかりやすく書く必要がある。

③自分が学んだことを人に話す。
口に出して人に説明してみると、自分の頭のなかで整理して論理的に話をする必要があるので、一気に理解度UP！

④自分が学んだことを実践する。
学んだことをすぐに実践するか、実践するためのスケジュールを組もう。

超・学習法 17

復習の比率は「1：5」で

人は忘れる生き物です。

せっかく学んでも、時間とともに記憶が薄れてしまうこともたくさんあります。

とくに、大人になってから何かを学ぶとなると、ベストな状態で学ぶことがむずかしい場合もあるでしょう。

私が英語を必死で学んでいた留学先では、寝言が英語になるくらい英語づけの世界にいました。そんな生活のなかでは自然と覚えられるものもありましたが、正直、どうしても頭に入ってこないむずかしい単語や文法もありました。

それでも試行錯誤（しこうさくご）しながら効率のいい学び方を追求していましたが、印象が薄いものに関しては覚えにくく、忘れてしまうものもありました。

「学んだことを一生忘れないようにするにはどうしたらいいだろう」と悩んだ結果、〝あること〟をすれば、何年経っても記憶が薄れることがないとわかりました。

それが「復習」です。さらにいえば、「タイミングよく復習すること」です。

学生のころ「今日習ったことは、かならず家で復習をするように」と先生にいわれていましたが、当時は復習の大切さなどまったく理解していませんでした。

しかし、いま思い起こしてみると、復習こそ効率よく学ぶという意味で非常に理にかなう方法だと実感しています。

科学的に正しい復習のタイミング

じつは、復習のタイミングを考えることで、より効率的に記憶を保つことができるようになります。

ここで押さえておきたい比率が「**1：5**」です。

これは「**勉強してから復習するまでの期間：復習してから試験までの期間**」を表し

たもの。カリフォルニア大学サンディエゴ校のニコラス・J・セペダらによる研究から導き出されました。

たとえば、勉強した日から7日後が試験日だとします。

この場合「勉強してから復習するまでの期間：復習してから試験までの期間」が1：5になるようにするには「7÷6＝1.1666…≒1〜2日」という計算により、**勉強した翌日か翌々日に復習すれば記憶が一番定着しやすくなる**ということです。

ただし、たった2回の学習で記憶できる知識の量は多くありません。

そのため、1回復習したあとも何度か復習を繰り返す必要があるでしょう。

その場合は、1回目の復習日は「1：5の法則」にのっとり、あとは均等な間隔で復習することです。

実際に何回復習すべきかは悩むところですが、テストで合計5回正答できることが、記憶に定着したという目安になります。

復習でアウトプットを繰り返し、学んだことを確実に記憶に残しましょう。

このことに気づいたのは、なかなか覚えられない英単語を、1か月後どれだけ覚えているか試したことがあるからです。

スケジュール帳に「△ページの復習を1か月後にやる」と書き込み、タイマーをセットし、いざ1か月後に試してみると、驚くほど覚えていなかったのです。

「それでは2日後ではどうだろうか」と考え、同じことを2日後に試してみると、ほぼすべて覚えていることがわかりました。

そうと気づいてからは、学んだことはかならず1週間以内に復習することを習慣づけるよう意識したのです。

さらには「**学んだことを2日後に復習し、それを何度か繰り返すと、1か月後になっても覚えている**」という新たな気づきを得たのです。

覚えたことを忘れるタイミングは個人差があると思いますが、私の場合は2日後に復習することがベストタイミングでした。

「短期集中＋復習」が脳科学的にもいい理由

自発的に学びたいことならそれなりにがんばれますが、たとえば会社の方針で資格を取らなければいけないとか、TOEICを受けなければいけない、などいったシーンも少なからずあるでしょう。そういった自発的なものではないシーンでは、なかなかモチベーションが上がらない可能性もあります。

しかし、そういうときだからこそ、短期集中＋復習で学んでみましょう。「嫌なことは早く終わらせてしまいたい、だからまずハードルを下げた小さな行動をとる」というのは意外にも集中力を高めます。

これは、脳科学的にも明確な根拠があります。

ひとつは、いわゆる「やる気スイッチ」と呼ばれる側坐核（そくざかく）の仕組み。

やる気スイッチがオンになるのは、じつは「行動が起きたあと」です。

勉強の場合、「モチベーションが乗れば」「スケジュールに余裕があれば」とか、それこそ「気が向けば」という条件が満たされるのを待っていては、永遠にやる気スイッチはオンになりません。だからまず動いてみる。そうすれば、やる気スイッチがオンになり、自動的に次の行動ができるようになります。

行動するからモチベーションが上がる。これが正しい順番なのです。

科学的に正しい復習のタイミング

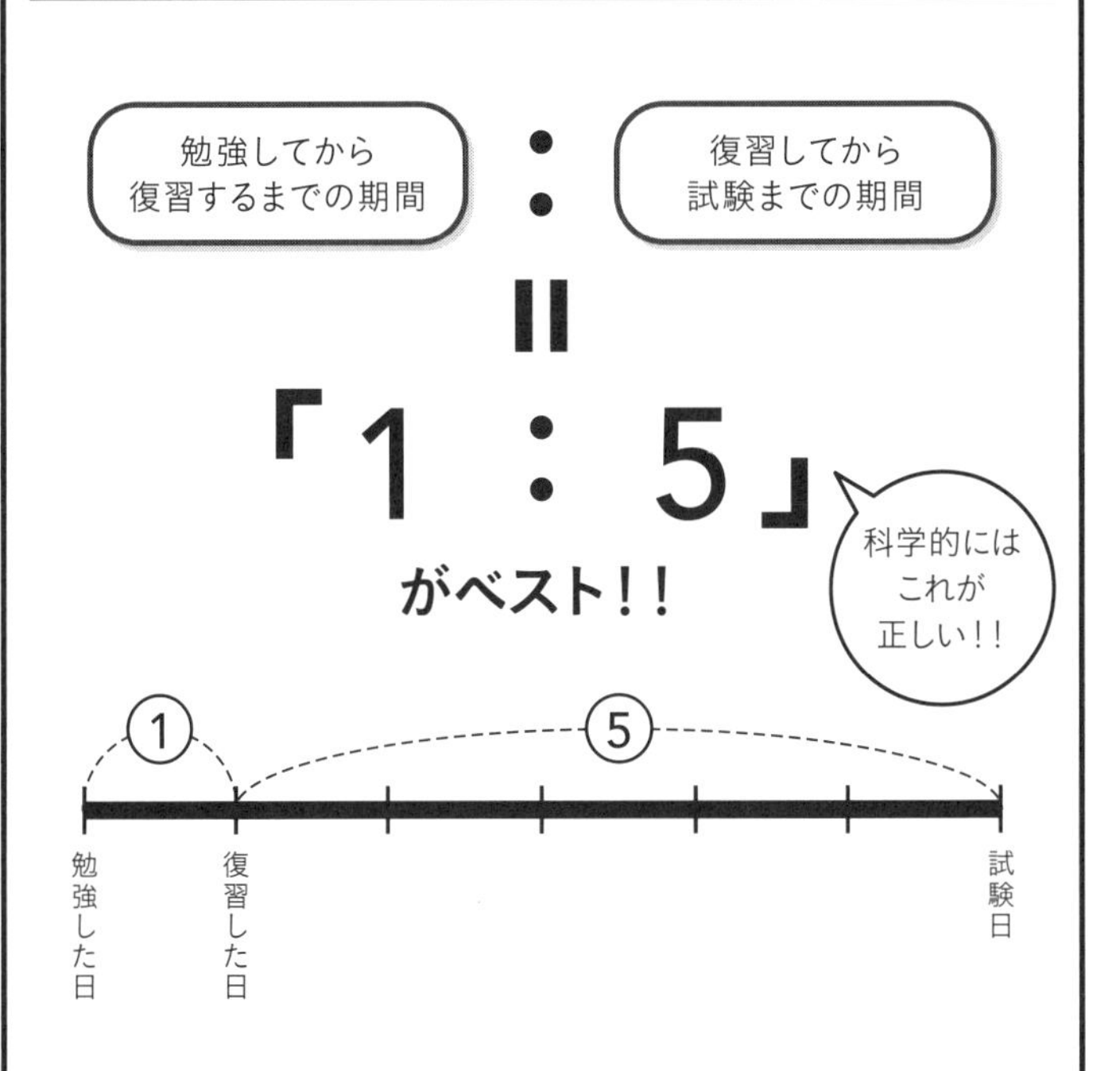

「学んだことを2日後に復習し、それを何度か繰り返すと、1か月後になっても覚えている」という新たな気づきも！！自分が忘れていないタイミングで復習しよう！！

もうひとつの根拠は、脳が持つ「可塑性(かそせい)」という性質です。

脳には、大きな変化は受け入れずに元に戻そうとするが、小さな変化は受け入れるという性質があります。

習慣も、いきなり大きく変えようとすると3日坊主ですぐにあきらめてしまいます。でも、少しの習慣の変化であれば、少しずつ変えていくことが可能になります。

たとえば「この2週間さえがんばれば終わる。だからまず小さな行動をとってみよう」とか「この1か月間で毎日20分だけやってみよう」などと思うことは、決して悪いことではありません。むしろ、長い時間をかけてイヤイヤやるよりも、パフォーマンスがいい状態です。

短期集中で学び、定期的に復習をする。

それだけやればいいならがんばれますし、むしろ小さな行動をすぐに起こす、それこそが学びをマスターするための必要なノウハウなのです。

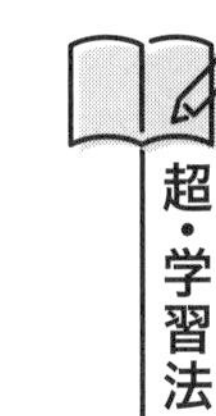

なにより楽しみながら学ぶ

何かを習得したいと思うなら、まずは楽しみながら学ぶことが絶対条件です。

自分が学びたいものを通じて、同じ志を持つ仲間と出会えるのもうれしいですし、憧れの先生に会えるのも楽しさを維持するカギとなります。

人は楽しいと感じるとき、脳では〝幸せホルモン〟と呼ばれている「セロトニン」が分泌されます。

このセロトニンは、自律神経を整えたり、心のバランスを取るといった作用があり、人の行動にいい影響をもたらします。

つまり、心も身体もリラックスしているときが、もっとも学びに適した状態といえるのです。

どんなにむずかしそうな内容も、自分が最初はどうしても興味が持てなくても、「どうすれば、この学習のプロセスを楽しめるだろうか？」「どんなふうに勉強すれば、楽しみながら学習できるだろうか？」という質問を自分自身にして、学習するにあたって、どんなに小さな楽しみでも探してみること、それが大事なポイントです。

セロトニンをより分泌させるには

では、セロトニンを分泌させるにはどうすればいいのでしょうか？
それには、いくつか効果的な行動があります。

（1）1日15～30分太陽を浴びる（起床30分後までが理想的）

（2）適度な運動を1日20分程度する（散歩、ランニング、ヨガ、水泳、サイクリングなど）

（3）感情を動かす（さまざまな人と触れあう、映画や小説や芸術に触れる）

（4）適度な睡眠（1日7時間以上、スリープサイクルのアプリやオーラリングなどを使って、睡眠の質を計測し改善する）

（5）トリプトファンを含む食事をする（オススメはカツオ、納豆、生のクルミ、バナナ、ビタミンB6・マグネシウム・ナイアシンを含む食品）

自分から進んで学びたいと思ったものでも、壁にぶつかることもあるでしょう。

「思っていた以上にむずかしかった」

「想像していたものと、違った」

そんなふうに思ってしまうことがあるかもしれません。

しかし、そういう思いが湧いてきたときこそ、リラックスして、セロトニンを分泌させながら学んでいきましょう。

超・学習法 19

たまには自然のなかで頭を空っぽにする

ここまで読んでくださったあなたは、自分の学びに関することであれば多少、対処の仕方がわかったかもしれません。

しかし、これが自分の子どもや生徒となると話が変わってきます。

たとえば、自分の子どもがテスト前だというのに、まったく勉強せずゲームばかりして困っているという親御さんも多いでしょう。

あなた自身も、試験前で勉強しなければいけないのに、どうも集中できずゲームやネットサーフィンをしてしまうという経験があるのではないでしょうか？

私もよく、そうやって現実逃避をしていました。

子どもにとっても、点を取るためだけの授業は退屈です。だからこそ、勉強なんてつまらないと感じている子どもがたくさんいます。

現に、子どもたちは、「夏休み」とか「連休」となるととても喜びます。

私にも姪っ子がいるのですが、「夏休みどうだった？」と聞くと、かならず「楽しかった」と答えます。これは世界共通の価値観であり、ある意味、子どもはそうでなければいけません。

思い切って、勉強から離れてみる

しかし、アメリカと日本の夏休みには大きな違いがあります。

アメリカは1年を前期・後期に分けてカリキュラムを組んでおり、6月の上旬には前期の授業は終わり、9月頭までの約3か月間が夏休みとなります。

つまり、**日本より夏休みが2倍ほど長い**のです。

そして、アメリカでは夏休みの宿題が一切ありません。そのため、友だちや家族との時間を満喫することができ、それが大きなリフレッシュになります。

3か月間、勉強から離れ、楽しい時間だけを過ごすからこそ、そのあとにはじまる後期の授業も集中することができる。**つまり長い休暇によって、遊びと学びの頭の切り替えがスムーズにできるのです。**

大自然の力を借りて、学習効果をアップさせる

また、連休や長い休みの間は、自然のなかで過ごすのも、頭を空っぽにする非常にいい方法です。

1週間に2時間ほど森林浴をするだけでも、さまざまな健康効果が得られます。

頭がリフレッシュされた状態で学習すると、新たな気持ちで学習に取り組めます。日本にも山や海など大自然はたくさんありますので、ひとりでも友人や家族と一緒にでも出かけてみてください。

自然のなかに行くことを生活のなかに上手に取り入れることで、学ぶという意識は少しずつ変化していくでしょう。たまの休日は思いっきり自然のなかで遊んで、リフレッシュしましょう。

現代人は幼いころから塾やら習いごとやら忙しく、勉強ばかりをしてきています。**週末くらいは頭をリフレッシュすることが、集中力やパフォーマンスアップという意味でも非常に効果的**です。

これは子どもに限った話ではありません。大人であるあなたも、オンオフの切り替えをしてこそ、いざ学習するときには良質な学びを得ることができるのです。

自分の血肉になる「読書」の技術

今日の読書こそ、
真の学問である

吉田松陰

第2章

学びという場において、読書は欠かすことはできません。

しかし、ただ「たくさんの本を読めばいい」

というわけではありません。

読んだあとに、どんな行動を取るかを明確にしてこそ

本当の学びを得ることができるのです。

超・学習法 20

読む前に、「読む目的」を明確にする

知識をつけるもっとも効果的な方法、それが「読書」です。教科書や参考書をはじめ、ビジネス書や教養書など、学びと読書は切っても切れない関係です。

本は大きく分けると、スキルを得るための本か、著者の思考を得るための本か、小説などのストーリーを楽しむための本か、のいずれかになります。

いまこの時代は、出版不況といいながらも、毎年約7万冊の本が出版されています。

私は著者という立場にあるので、なるべく多くの人に1冊でも多くの本を読んでほしいと思っています。

また、**本は著者が何年も、場合によっては何十年もかけて得てきた経験や知識を1冊で、しかも1500円ほどでまとめているわけですから、学びのコストパフォーマンスとしては抜群**と言えます。

目的がない読書に意味はない

しかし、読んだ本の数が多ければ多いほどいいというわけではありません。

なぜなら、すべての本を鵜呑みにしてしまうと、本当に欲しいスキルや著者が伝えたいことがキャッチできなくなる恐れがあるからです。

まず、あなたが「これを読んでみたい」と思う本があったら、自分自身に「この本から何を学びたいか」を問い、その本を読む目的を明確にすることが大切です。

このときに答えが出なかった場合は、買いません。

なぜなら、本を読む目的を明確にしないと、読んでも明確な結果が得られないからです。

私も本を購入する際はかならず、「この本からは△△のスキルを学ぼう」とか「この本では、いま自分が関わっている△△に活かすための、この知識を得よう」と、ざっくり決めてから買うようにしています。

個人的な話ですが、私は小学校に入る前から本の虫で、外で友人と遊ぶよりも本を読むのが好きでした。

学生時代から自己啓発書やビジネス書を読み漁り、自分の人生を読書によって向上させてきました。

20歳のころには速読講座を受講し、それ以降は自分が学びたい分野や興味ある分野の本（ビジネス書、健康本、自己啓発書、経営本、スピリチュアル本など）を、過去19年間、毎週欠かさず週に1冊は読み続けてきました。その膨大な読書量のおかげで、いまの自分があるといっても過言ではありません。

私のまわりのたくさんの素晴らしい経営者や、各界で活躍されている方と交流していると、圧倒的な結果を出されている方ほど「最近、おすすめのいい本ない？」と聞いてこられるほどの読書家です。

英語の格言でも**「Leaders are readers.（リーダーは読書家である）」**という言葉があるくらい、活躍されている方は多読家の方が多いのも事実です。

アメリカの「Inc.」という有名なビジネス雑誌にも、経営者や役員は平均月に4～5冊を読むという統計が出ていました。

つまり、効果的なアウトプットをするためには、質の高いインプットである読書は必要不可欠な存在なのです。

まずはひとり、好きな著者を見つける

では、仕事や学習で圧倒的な結果を出すためには、どのような読書をしていけばいいのでしょうか？

いま、あなたが経営について知りたいと思っているなら、**経営に関するいろいろな**

本を手あたり次第読むよりも、その道で成功をし、あなたが理想とする成果を出していたり、理想のライフスタイルを手に入れている著者ひとりに絞り、その人が書いたすべての本を、興味が湧いた順番に読んだほうがいいでしょう。

いろいろな人が書いたさまざまな経営本を読んでしまうと、何を信じ、何を取り入れていいか判断ができなくなり、自分の軸がぶれてしまうからです。

ドイツの哲学者ショウペンハウエルも、著書『読書について』のなかで、「**多目的な多読は、みずからの思想を追放してしまう行為である**」といっています。

つまり、無意味な多読をし過ぎるとムダな知識が入り、あなた自身の思想さえ奪われる可能性があるのです。

それよりも、まずは自分が欲しいスキルだけを得られる著者をひとり見つけ、それを何度も繰り返し読んだほうが、よっぽど身につきます。

そして、人は同じ本を読んでも、そのときの感情により捉え方が異なります。そういった違いを知ると、いまの自分の状態を知るためのいいきっかけにもなります。

もしいまあなたが「これは面白そう」とか「役に立ちそう」と思って買った本なのに、数か月後には「これはどんなことが書いてある本だったっけ？」と思うことが多いのであれば、読む目的が定まらずに読んでいる可能性があります。となると、いまのあなたの読書の方法は正しいものではありません。

読書の前の5ステップで、読む目的を明確に

そうならないために、まず読書をする前に、次の5つのステップを自問自答して読書をしていきましょう。

ステップ1　自分が今後、どんな分野で、どう活躍したいか
ステップ2　いまの自分を、どう自己成長させたいか
ステップ3　いまの自分は、どんなスキルを学びたいか
ステップ4　どういう思考回路を持つ人になりたいか
ステップ5　いまの人生で、どういうアイデアやインスピレーションを得たいか

その答えをある程度明確にしたうえで、あなたに必要だと思う本を選び、読んでください。明確な目的があれば、本を読了するモチベーションも高いまま読み進めていけます。

ただし、もともと本を読むのが苦手だという人は、「これなら読めそう」と自分が直感で惹かれる本なら、遠慮せずたくさん読むことが大切です。

とくに本嫌いの子どもには、少しでも「読んでみたい」と思ったら、どんどん読ませてあげましょう。親からしたら「え、こんな本読むの?」と思うようなジャンルでも、子どもの意見を尊重し、読ませてあげるのです。

そして、「1冊読み終えた」という成功体験を積むと、次第に本への抵抗感が薄れ、少しずつ本が好きになるでしょう。

読書をする前に大切なこと

読書をする前の5つのステップ

ステップ1　自分が今後、どんな分野で、どう活躍したいか
ステップ2　いまの自分を、どう自己成長させたいか
ステップ3　いまの自分は、どんなスキルを学びたいか
ステップ4　どういう思考回路を持つ人になりたいか
ステップ5　いまの人生で、どういうアイデンティティやインスピレーションを得たいか

自問自答しよう！

これらを明確にし、必要だと思う本を読む。
目的がない読書に意味はない！

目的を明確にすると、本を読むモチベーションも保てる！

「1冊読み終えた」という成功体験を積んで、少しずつ本が好きになる！

超・学習法 21

本を選ぶ際の3つのポイント

たとえば、あなたが「起業するためのマーケティングを学びたい」と思い、書店に行ったとします。書店には、起業やマーケティングに関するさまざまな本が平積みで売られています。

そのとき、あなたは何を基準に本を選ぶでしょうか。

「この人が書いた本だから間違いない」という著者がいれば、迷わずその人の本を選ぶはずでしょう。

しかし多くの人は、タイトルやカバー、帯にあるキャッチコピーや、もくじの小見出しなどを見て、「なんとなく」買うのが一般的ではないでしょうか。

そもそも**本というのは、あなたが欲しいスキルを得るため、または苦手なものを克服するためのツールであったり、何か悩みや不安や不満を解決したり、何か新しい刺激やインスピレーションを得られるものであるのが理想的**です。

たとえば、大学生の人が「歴史に名を残すような大企業をつくりたい」という志を持っているのなら、おのずと起業して大成功した経営者の本が目に入りますし、主婦が「カウンセラーとして独立したい」と思うなら、カウンセラーとして成功している女性の本を自然と選ぶはずです。

それは、まさに自分が目標を叶えるための参考として、本を手にしていることを表しています。

だからこそ、**「なんとなく」という直感で選ぶのもいいですが、目的をより明確にしたほうがいい成果が得られます。**

そのために、次の3つを意識して本を選ぶようにしましょう。

自分に「3つの問い」をする

1つめは、「その本に共感できるか」です。


本を選ぶときは、その本に対して共感できるかが大前提にあります。

そうでなければ、本の世界に入り込むことができず、情報が頭に入りません。

タイトルやプロローグ、小見出しなどを読み、まずは著者が伝えたい「ワンメッセージ」を捉え、それに対して共感できるかをジャッジすることが何より大切です。


2つめは、「その著者の思考法が学べるか」です。


本を読んだあと、その著者のような人になりたいかと考えてみることです。

たとえば、いくら書いてあることに共感しても、その人のようになりたいと思わなければ、やはり心の底から共感しているとはいえません。

どんなにその著者が遠い存在でも、その著者の思考法や考え方は学べるはずです。

その著者の思考法や考え方を学ぶことで感銘を受け、自分の人生に活かす方法を見つけられるはずです。

3つめは、「その本の知識やスキルを自分が活かせるか」です。

著者が伝えたいことを知り、それを習得したうえで、いまの自分が実生活で活かすことができるかという視点を持つことです。

本に感銘を受け、著者のような人になりたいと思ったら、何かひとつくらいは学びや知識を得るために読んでみましょう。

いまの自分が目指す世界の〝少し先輩〟くらいの著者を探したり、いまは大物になっている著者の初期のころに書いた本など、ステップアップしながら読んでいくことが、学びを効率的に得るためには大切です。

もちろん大きな夢を持つことは必要であり、イメージを育てるうえでもいい影響を与えてくれます。本当の意味の学びとは、いまの自分の幅を少しずつ広げていく実践的なスキルや知識と、大きなビジョンや自分を鼓舞してくれるアイデアとの、両方を得ることです。

本選びのポイント

「その本に共感できるか」

「ワンメッセージ」を捉え、共感できるかジャッジ

2 **「その著者の思考法が学べるか」**

本を読んだあと、著者のような人になりたいかと考えてみる

3 **「その本の知識やスキルを自分が活かせるか」**

著者の伝えたいことを習得し、
実生活で活かせているかという視点を持つ

効果的な本の選び方は、先の3つの問いを自らにして、**自分がすぐ仕事や人生で活かせそうな本で知識やスキルを学び、同時に将来自分がこうなりたいという人から、思考法や考え方を学ぶという組み合わせがベスト**なのです。

まずはいまの自分となりたい自分を比較し、段階を踏んで、実践しながら学んでいくことが、本の選び方としては正しいのです。

また、個人的にはKindle のunlimitedという読み放題プランに加入すると、さまざまな本や雑誌を読み放題になるので「超・学習法」で読書家になるあなたにはかなりオススメです。

超・学習法 22

本を効率よく読むための3ステップ

いざ本を購入したあと、あなたはどんな読み方をするでしょうか？

きっと「家のなかでリラックスして読む」「電車や飛行機のなかなど、移動の際に読む」「お気に入りのカフェで、スキマ時間に読む」などと答える人が多いのではないでしょうか。

私も移動中に本を読みますが、それ以外に、毎朝かならず20分ほど読書の時間を設けています。**朝に読書をすることで脳が刺激され、リフレッシュした脳で読書するとインプットしやすく、理解力が深まるというメリットがあるため**です。

そして、本を効率的に読み、学びを得るためには、3つのステップに分けて読むことが大切です。

3ステップリーディング

その3ステップをひとつずつ説明しましょう。

・ステップ1「全体を流し読みする（プレリーディング）」

まずは10～20分くらいかけて、ざっと流し読みをしましょう。

そこで、本の全体像を把握します。

物件を決める際の下見と考えればわかりやすいと思います。

最初から一字一句をていねいに読もうとすると時間がかかりますし、最後まで読もうとすると、プレッシャーになってしまうこともあります。

であれば、まずはさらっと流し読みをして、本の様子をうかがいます。気になる単語や章などあればメモをするか、あとのステップ2のところで戻ってじっくり読みましょう。ここで「思っていた内容と違った」とか「意外と内容が薄っぺらいかも」など感じてしまったら、そこでもう読むことをやめましょう。これ以上読んでも何も得られませんし、何より時間のムダです。

・ステップ2「読みたいところを読む（パーパスリーディング）」

流し読みで本の全体像を知ったうえで、2回目から実際に読みはじめましょう。

しかし、このときていねいに第1章から読む必要はありません。

大切なのは、自分が知りたいことを問いかけながら読んでいくことです。質問の質が読書の質を決めると言っても過言ではありません。

流し読みをしたとき、「学びたいことが第2章から書いてある」とわかれば、第1章を飛ばして、本当に興味がある第2章から読みましょう。あなたが得たいと思うスキルや情報が書いてあるところから読むことで、ムダな知識を入れずに済み、より明確にクリアに学びを吸収することができます。

・ステップ3「本腰を入れて最初から読む（ホールリーディング）」

3回目で、きちんと最初から本腰を入れて読んでみましょう。

そのころになると、本に書いてあることが身体に馴染み、より読みやすくなることが実感できます。

あらためて著者が伝えたいメッセージやストーリー、著者の思いを理解することができ、学びをより一層リアルに感じることができます。

本を読むときは著者と対話するイメージで、著者はどんな思いでこの本を書いたのか、どんなことを読者に伝えたいのかと、イメージしながら読んでいくと、読書がより意義深く、楽しいものになっていきます。

このように3つのステップで読むことが、本を効率的にムダなく読むコツです。

読書が苦手な方、一字一句を真面目に読もうとして時間がかかってしまう方、最後まで読むけれど何が書かれてしまっているか忘れてしまう方、本を読んだだけで満足してしまい行動が伴いにくい方は、こちらの3ステップリーディングを試してみてくださいね。きっと読書へのイメージが変わってくるはずです。

3ステップリーディング

ステップ 1

全体を流し読みする(プレリーディング)

10～20分かけて、本の全体像を把握する。ここで「思っていた内容と違った」とか「意外と内容が薄っぺらいかも」などと感じたら、**そこで読むのはやめよう**

ステップ 2

読みたいところを読む(パーパスリーディング)

流し読みのあと、2回目から実際に読みはじめよう。**読みたいところから読み**、自分が知りたいことを問いかけながら読んでいこう。**質問の質が読書の質を決める!**

ステップ 3

本腰を入れて最初から読む(ホールリーディング)

3回目からきちんと本腰を入れて読もう。このころになると、書いてあることが身体に馴染み、より読みやすくなる。あらためて著者が伝えたいメッセージやストーリーなどが理解でき、学びをより一層リアルに感じられる。**本を読むときは著者と対話するイメージで**読むと、読書が意義深く、楽しいものに!

超・学習法 23

著者の「ワンメッセージ」を知る

どんな本であれ、かならず著者が伝えたいひと言メッセージ、つまり「ワンメッセージ」と呼ばれるものがあります。

むしろ、著者はそれを世に周知させるために、その本を書いているといっても言い過ぎではありません。

そのワンメッセージは、タイトルに表されることが多いです。

本書であれば「学び方には学ぶコツがあり、それを知れば最短最速で学ぶことができる」ということがワンメッセージです。それが一目で伝わるよう『最短で結果が出る「超・学習法」ベスト50』というタイトルをつけました。

タイトル以外にも、帯キャッチや小見出し、プロローグ（はじめに）やエピローグ（あとがき）などにもワンメッセージは書かれています。そこさえ読めば、なんとなく著者のワンメッセージを知ることができるでしょう。

「この著者は何が伝えたいんだろう」と考える

そして、**実際に本を読むときは、著者がそのワンメッセージに至るまでにどんな経緯や経験があったのかを想像しながら読み進めると、より内容が理解しやすくなります。**


反対に、ワンメッセージを意識せずに読むと、

「結局、この本は何を言いたいんだろう？」

「これは誰に何を伝えているのか？」

と、疑問ばかりが残ってしまい、フラストレーションがたまって、モヤモヤとした気持ちを持ってしまう可能性があります。

もちろん、著者がその本のなかで伝えたいことは、ひとつではない場合もあります。

とくに、自己啓発書など著者の思考を伝える本に関しては、より多くのメッセージを伝えたいという思いで書かれていることもたくさんあり、ひとつのメッセージでは収まりきらないという場合もあります。


そもそも、人により本の捉え方や感想は違います。

100人が読んだら、100通りの捉え方があるのは当然です。

であれば、あなたが感じたワンメッセージこそが、正解なのです。

そして、多くの著者は「読んだ人がより少しでもいい方向へ向かってほしい」という強い思いを抱きながら、本を書いています。

だからこそ、そのメッセージは読んだ人が決めるものであり、それこそが著者が本当にあなたに伝えたいメッセージなのです。

超・学習法 24

著者とイメージで対話しながら読む

著者の「ワンメッセージ」をもっと深く知るためには、**本を読みながら著者と対話するイメージを持つこと**が重要です。

たとえば、あなたが大好きな著者がいる場合、

「こんな健康法をしていると書いてあったけれど、どんなスケジュールで1日を過ごしているんだろう」

「前作に書いてあったあの経験が、この本を書くきっかけになったのかな」

など、著者が目の前にいるイメージをしながら読みます。もちろん、これは妄想でも構いません。

本を読み進めていくなかで、当然質問したいことも出てくるでしょう。

「私がこう聞いたら、どう答えてくれるかな？」「このとき、どうしてこう思ったんだろう？」「この言葉の意味をもっと深く知りたい」などと思ったら、それをすぐにメモなどに書きましょう。

その後、セミナーやサイン会などで、その著者とお会いできる機会があれば、そのときに直接その質問を聞くことができるのも、本を読む楽しみのひとつです。

また、いまではその著者のYouTubeやFacebookやInstagramやメルマガをフォローしてみて、その人の情報を継続して受け取れるのも素晴らしいところです。**著者のアップデートされた情報を受け取りつづけましょう。**

読書を読書だけで終わらせない

読書というと、どうしても受け身になりがちですが、著者が目の前にいるイメージで「これを聞きたい」「これを学びたい」「このスキルを手に入れたい」と考えながら読めば、能動的に学べます。自発的かつ前のめりの姿勢で読み学ぶことが大切です。

また、**著者と会話をしているイメージで読むことを意識すると、精神的に著者と親密になれますし、より深くその本の世界観に浸ることができます。**

「本にハマる」という感覚は、「もっと学びたい」「この著者のように成功したい」というさらなる熱い思いを生み出します。

これは本だけでなく映画や劇、ドラマを観るときも同じように意識してみましょう。たとえば、映画を観たときも「これはどういう意図があってつくられたんだろう?」「その言葉の意味は何だろう?」「本当はどうなんだろう?」「実生活で同じことをやったら、どうなるだろう?」というように、つくり手に問いかけたり、自分の実生活に置き換えたりしてみると、ひとつの作品をさまざまな視点から見ることができます。

つまり**何を読むのも、観るのも、体験するのも、すべてから「学ぼう」という姿勢が大切なのです。**そういう意識を持ち続けると、また違う世界が見えてきます。読書を読書だけで終わらせず、自分の人生に活かし、自分の人生がより意義深いものになっていくことは間違いありません。

超・学習法 25

途中で本を閉じて、すぐに実践する

本は「読み終えること」が目的ではありません。

本の醍醐味は、「読んだことを活かし、行動に移し、結果を得ること」です。

読み終えただけで満足し、何も行動しないのであれば、残念ながら読んだ意味がほとんどなくなってしまいます。

本は最後まで読まなくてもいい

大事なポイントは、むしろ本を読んでいる途中で、「これはいますぐに活かせるぞ」と思うことがあれば、いったん本を閉じることです。

そして、その学びから実際に行動してほしいと強く願っています。

わざわざ最初の一文字から、最後の一字一句までご丁寧にすべて読み終わらなくてもいいのです。

あなたが、「これは使える」「このスキルはすぐ活かせる」「このアイデアは何かのヒントになった」と思うものがあれば、そこで本を読むのをやめて、すぐに行動しましょう。

「何かに申し込む」「誰かとアポを入れる」「実践するために何かを購入する」など、どんな小さな行動でも構いません。

その時点で、もうあなたにとってのその本の目的は達成されたのです。

あなたが第1章だけ読んで行動し、それ以降、その続きを読まずに終えたとしてもいい。そこに罪悪感を抱く必要は一切ありません。

どんな本であれ、かならず本には目的があります。

読者であるあなたが、その本によって何かを学び行動したのなら、それこそが読者と著者の双方の目的を達成したという証です。

超・学習法 26

贅沢な読み方をする

私はどんなに忙しくても、週に1冊はかならず本を読んでいます。

朝は20分ほど本を読む時間に充てていますが、仕事が早く終わった日は夜読むこともありますし、休日など時間があるときは、スマホやPCを持たず、本だけを持ってカフェに行くこともあります。

また、最近はオーディオブックを聞きながら身体を鍛えたりするなど、その場所に合わせた読み方をして読書を楽しんでいます。

つまり、私にとって本を読むことは自己成長のための贅沢な時間なのです。

目的や状況に合わせて、どう読むかを使い分ける

「本はやっぱり紙がいい」とか「本を所持したくないから電子書籍しか読まない」などさまざまな意見がありますが、双方にそれぞれメリットはあるので、どちらがいいとはいえません。

もっともいいのは、双方を目的や用途に合わせて使い分けることだと思います。

たとえば私の場合、日本語の本を読む場合は電子書籍で読むようにしており、英語の本を読む場合はオーディオブックと電子書籍を利用しています。なぜなら、オーディオブックは同時に英語の発音も学べるからです。

また夜、小説を読むときは紙の本で読みます。タブレットの明るい画面で刺激を受けて睡眠の妨げにならないようにするためです（もしくは、Kindleのペーパーホワイトなどで読むとブルーライトを浴びずに睡眠障害にならずにすみます）。

このように、自分に合わせた使い分けをしながら双方を上手に活用しましょう。

自分にとって少々むずかしい内容の本を読むときは、読みやすく、ライトな内容の

本や楽しむための本と平行して読む、というやり方もおすすめです。

内容がむずかしく、重たい内容の本だけを読み続けていると、どうしても集中力が切れたり、眠くなってしまったりするという人も多いようです。

そういうときこそ、その本と平行して、さらっと読める簡単な内容の本を同時に読むことで、頭の切り替えができ、新しい気持ちで本と向き合うことができます。

学ぶための文献は文字量が多い本もたくさんありますが、そういう本は、時間をかけてゆっくり読み進めてもいいと思います。

1か月かかろうが、3か月かかろうが、あなたにとってためになる本であるなら、急いで読む必要はありません。ゆっくりていねいに、言葉を味わいながら読み進めましょう。

これは絶対にものにしたいと思う内容であればあるほど、ゆっくり時間をかけて読んでもいいし、何度も読み返してもいい。すべてを理解しようとせず、80%くらい意味が理解できればそれでいいのです。

本を読む目的は、繰り返しになりますが「読んで何か行動すること」「新しいアイデアやヒント、インスピレーションを得ること」なのですから。

読み方を使い分ける

紙の本と電子書籍、それぞれにメリットはある

目的や状況に応じて、使い分ければベスト！

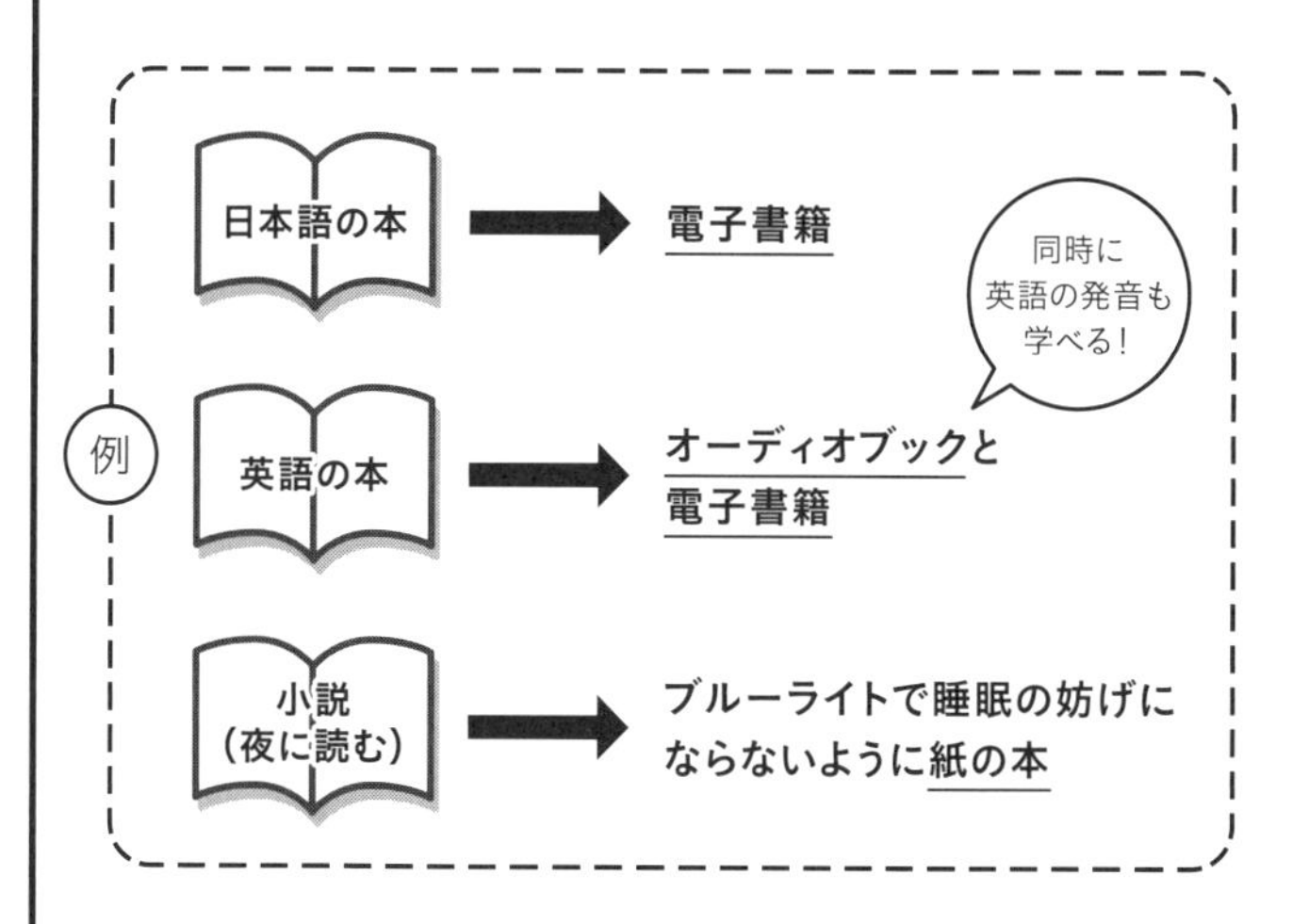

**また、「難しい本を読むときは、読みやすい本と並行して読む」というやり方もおすすめ！
ゆっくり時間をかけてもいいし、100パーセント理解しようとしなくてもいい！**

超・学習法 27

キレイに読まない

最近、本を電子書籍で読むという人も増えています。1冊ずつ所持しなくてもいいし、どこでも読めるという点が電子書籍のメリットです。

私ももちろん利用していますが、電子書籍のいいところは「これはいい内容だ」とか「これはすぐに何かに活かせそうだ」と思う文章があれば、そのままスクリーンショットして印をつけたり、コピペしてノートに貼ったりできることです。画面上で保管できるので、あとで見返すとき非常に探しやすいし、明確です。

しかしながら、「やはり本といえば紙派」という人も多いようです。

紙の場合は、印象深い部分に折り目をつけたり、ポストイットをつけたりして、あとから見返していますが、私の場合「ここだけは絶対に忘れたくない」という箇所があれば、あえて手書きでメモをするようにしています。

書き写すというのは、学びを得るという点でも非常に効果的です。記憶の定着という意味でも、手書きは時間が経っても忘れにくいという利点があります。

本を汚して読む人ほど結果を出すという現実

本に書き込んだりメモをしたりすると、本の内容が自分の感情と結びつき、記憶に残りやすくなります。感情が動くと、読了後に行動につながりやすくなります。

以前、セミナーに来てくれたお客さんのなかに、私が書いた本にたくさんの付箋や折り目がある方を見かけたことがあります。

それを見たとき非常にうれしかったですし、これこそが本を出す役目だと、あらためて襟を正しました。**ちなみにその読者の方は、やはりセミナーの参加者のなかでもダントツな成果を出されていました。**本を深く読み、行動することは、結果が出る一番の近道なのだと実感させられました。

超・学習法 28

書籍は狭く深く、雑誌は広く浅く

本をネットで買うという人は多いですが、Amazonなどでは、過去に自分が買った本やチェックしたものに関連する本が、ＡＩのアルゴリズムによって自動的に表示されるシステムになっています。

普段はあまり本を読まない人や、これといって好きな著者がいないという人は、過去に買った本に関連する本を読んだりして、幅を広げてみるのもいいでしょう。

また、売り上げランキングや書評のサイトをチェックしたりして、いま話題になっている本をとりあえず読んでみるのもおすすめです。

私が本を読むことを勧めるのは、1冊の本との出合いが、新しい自分との出会いにつながることがあるということを体感しているからです。

Amazonなどで読みたい本だけを買って読むのもいいですが、たまにはふらっと書店に立ち寄ってみましょう。そこでピンときた本は、絶対にネット上では出合えない本であり、いまのあなたに必要な本です。

私自身も、偶然立ち寄った書店で、運命的な本との出会いをしたことがたくさんあります。

だからこそ、いまでも週に一度は書店に足を運ぶようにし、気になる本をチェックしたり、また売れている本のランキングなどから読者がどんなことに興味を持っているのかなどを調査し、次の企画に活かそうなどと考えたりしています。

雑誌は情報、書籍は学び

よく「雑誌は読むけれど、書籍はまったく読まない」という人もいますが、書籍と雑誌はまったく別のものと認識したほうがいいでしょう。

なぜなら、**「書籍は学びを得るもの、雑誌は情報を得るもの」**だからです（決して、どちらがいい、悪いという話ではありません）。

私は男性誌、女性誌、ビジネス誌、ファッション誌、旅行雑誌などありとあらゆるジャンルの雑誌に目を通すようにしています。

雑誌こそ、いろいろな知識を広く浅く読むことができるツールだと思っています。現在は電子書籍で雑誌の読み放題のアプリなどもありますし、情報収集のためにそれらを活用するのもアリです。

雑誌は、普段興味がないジャンルのものでも、ページをめくってみて興味がある内容が書いてあるとうれしいし、何より幅広い情報に触れることで疑似体験することができます。

たとえば旅行雑誌なら旅行をしている気分になれますし、いまファッションでは何が流行っているのか、ビジネスではどういうトレンドがつくり出されているのかなどの情報は、明らかに書籍よりも雑誌のほうが優れています。

また、雑誌を流し読みすることで、自分では気づかなかった意外な自分の趣味や思考を知ることがあります。

美容院などで、普段は読まない雑誌になぜか夢中になってしまったという経験はありませんか？　ふと目に止まった記事に惹きつけられ、熟読してしまったという場合は、無意識にあなたがその分野に興味があるということです。

もしあなたがいま「自分が何をしたいのかわからない」とか「これといった趣味がない」などと思うなら、ぜひ雑誌を大量に流し読みしてみましょう。

あなたの意外な好みや特技に出合うことがあるかもしれません。

そして、そこで出合った分野でより深く学びたい、より知識を得たいという場合には、書籍でその分野の知識を深めていきましょう。

超実践的な「英語」の学び方

1つの言語だと、
廊下をずっと歩き続ける人生。
2つの言語だと
行く先々のドアが開いていく人生

フランク・スミス

第3章

世界には7000以上の言語があると言われています。
使える言語が増えると、あなたの世界はぐんと広がります。
この章では、世界の共通語といわれる「英語」を例に
お話ししますが、
フランス語を習得したい人はフランス語を、
スペイン語を学びたい人はスペイン語にあてはめて、
読み進めてみてください。

超・学習法 29

半年で英語をマスターして、世界を広げる

日本語は、世界の言語のなかで中国語に続き、2番目にむずかしい言語といわれています。ひらがな・カタカナ、それぞれ46字と常用漢字2136字、それらを組み合わせてつくられているからです。

一方、英語はというと大文字・小文字、それぞれ26字のアルファベットのみで構成されています。

それだけ考えても、日本語がむずかしいとされる理由がわかるでしょう。

つまり、いまこうしてこの本を読んでくださるあなたが、自然と日本語を読むことができるということは、それだけでとても素晴らしいことなのです。

そう言えるのは、いままで日本語を学ぶのに苦戦している外国人の友だちをたくさん見てきたからです。

世界中からむずかしいといわれるこの日本語を、いまこうして読むことができるあなただからこそ、他国の言語をマスターすることは、そこまでむずかしくないと考えていいと思います。

ひとつの言語しか使えないのは損だ

私が英語を真剣に勉強しはじめたのは、20歳のときでした。

英語以外にも中国語やスペイン語なども学びましたが、まずは世界の共通言語といわれる英語をマスターしたいという気持ちが強く、英語を勉強することを決めたのです。

その後、1年半かけて英語をある程度マスターし、アメリカの大学に留学しましたが、それからは世界が180度変わったことを体感しました。

もちろん、日本語しか知らないときは、それはそれでもちろん充分楽しかったです。

しかし、英語を習得してからは「世の中には知らない世界がこんなにあったのか！」という感動を覚えました。

たとえば母方の実家が北海道にあり、父方の実家が沖縄にあったら、それだけで単純にどちらに行くときにも少しワクワクするような旅行気分になります。

それと同様に、**日本とアメリカに友だちがいるというだけで2倍楽しいし、同じように生きていて、もうひとつ楽しい世界があるのは得な気分になります。**

個人的な話ですが、私が英語を学びはじめたときは、ちょうど自己啓発を学びだしたときと時期が同じで、英語でビジネス書を読んで、ポジティブな考えや単語を最初に大量に学びました。

その成果もあってか、アメリカに留学したときは、英語で話すのはポジティブな内容の会話が多く、またアメリカ人のポジティブで社交的な性格にも影響され、人見知りで引きこもりがちだった私の性格も180度変わって、明るくポジティブになっていきました。

語学を学ぶことにより、性格や思考や行動までも変わってしまうのが、言語を学ぶ

ひとつの醍醐味だと私は考えます。

この本を読んでくださるあなたも、

「英語を話して仕事に活かしたい」

「日本で韓国語の先生になりたい」

「フランス語を学んでフランスに住みたい」

などと考えているかもしれません。

ぜひその言語を学び、その国の文化も学び、その言語を使い友人をつくり、どんどん人生の可能性を広げていきましょう。

「語学を通じて抱く夢」は叶えやすいと、私は断言します。

冒頭でもお伝えしたとおり、世界でもむずかしいとされる日本語をすでにマスターしているあなたが第二言語を学ぶことは、そこまでハードルが高くはありません。この本を活かし、語学を通じてあなたの夢を叶えてほしいと強く願っています。

新しい言語を学ぶと、新しい文化が学べる

新しい言語を学べると同時に、新しい文化が学べるのも興味深い点です。

私は英語を学び、英語の本や雑誌、またメディアの記事を読み、いまのアメリカや世界の情勢がどうなっているかを学びました。

具体的におすすめなのは「Forbes」「Inc.」「The Economist」などの英語の雑誌やオンラインの記事、ファッションなどが好きな人は「GQ」や「VOGUE」などを英語で読んでみるのもいい勉強法です。

また、海外ドラマであれば「GAME OF THRONES」や、さらに経営者やビジネスに興味があれば「SILICON VALLEY」など、Amazon PrimeやNetflixで放送されているドキュメンタリーショーを英語字幕で見ると、より新しい文化や情報も学ぶことができます。

超・学習法 30

英語を使わざるを得ない場所をつくる

アメリカへ留学する1年ほど前、じつはたまたま「ホストファミリー募集」のポスターを大学で見かけて、実家暮らしにもかかわらず、勝手に申し込みをしてしまったことがあります。

普通なら家族に相談をしてから申し込みますが、私の場合、申し込んでから親に相談するという強行手段に出て、親を驚かせてしまいました。

家族も最初は「赤の他人を、しかも日本語のできない外国人を家に住ませるのは無理」と言っていたのですが、支援に補助金が出るということや交換留学ができるということ、そして何より私の熱意に負け、最終的にOKしてくれました。

1年間、留学生を家に招き入れることは、家族からしたら不安でならなかったようですが、私にとっては英語を学ぶ千載一遇のチャンスだと思いました。

そして家に招いたのは、アメリカ人のジョッシュという22歳の留学生でした。

外国人と積極的に話してみる

英語を話す人が家にいるという現実は、私にとって大きな環境の変化でした。

彼も日本語を学びに日本に来ているので、彼と英語だけを話すわけにはいきませんでしたが、**私が日本語を英語で教えるという行為は、2つの言語を同時に学ぶという意味でも非常に大きな学びになりました。**

そもそも日本人は、相手が外国人というだけでなぜか緊張し、話せなくなってしまう人も多いです。実際、私もジョッシュと会う前は、少なからず外国人というだけで動揺し、黙ってしまうこともありました。

しかし、彼とひとつ屋根の下に住むことで、自然とそれを克服していきました。

朝起きて彼と一緒の朝食を食べ、その後、一緒に電車に乗り、片道60分かけて学校

郵便はがき

162-0816

恐れ入ります
切手を
お貼りください

東京都新宿区白銀町１番１３号

きずな出版 編集部 行

フリガナ	
お名前	男性／女性 未婚／既婚
(〒　　　-　　　) ご住所	
ご職業	
年齢	10代　20代　30代　40代　50代　60代　70代～
E-mail	

※きずな出版からのお知らせをご希望の方は是非ご記入ください。

愛読者カード

ご購読ありがとうございます。今後の出版企画の参考とさせていただきますので、アンケートにご協力をお願いいたします(きずな出版サイトでも受付中です)。

[1] ご購入いただいた本のタイトル

[2] この本をどこでお知りになりましたか?
1. 書店の店頭　2. 紹介記事(媒体名:　　　　)
3. 広告(新聞/雑誌/インターネット:媒体名　　　　)
4. 友人・知人からの勧め　5.その他(　　　　)

[3] どちらの書店でお買い求めいただきましたか?

[4] ご購入いただいた動機をお聞かせください。
1. 著者が好きだから　2. タイトルに惹かれたから
3. 装丁がよかったから　4. 興味のある内容だから
5. 友人・知人に勧められたから
6. 広告を見て気になったから
(新聞/雑誌/インターネット:媒体名　　　　)

[5] 最近、読んでおもしろかった本をお聞かせください。

[6] 今後、読んでみたい本の著者やテーマがあればお聞かせください。

[7] 本書をお読みになったご意見、ご感想をお聞かせください。
(お寄せいただいたご感想は、新聞広告や紹介記事等で使わせていただく場合がございます)

ご協力ありがとうございました。

きずな出版　URL http://www.kizuna-pub.jp　E-mail 39@kizuna-pub.jp

へ行きます。帰りも一緒に帰ることが多かったので、それだけで2時間はバッチリ英語に触れることができました。

部活などで一緒に学校に行けないときは、電車のなかでひたすら英語のオーディオブックを聞きました。彼と一緒にいない時間でもなるべく英語に触れようという思いがあったからです。また、思い切って音楽の趣味も変え、いままで聞いていた邦楽から離れ、洋楽を聞くようにしたのです。

学校へ着くと、1日3時間は英語の授業がありました。

昼休みは留学生たちだけが集まるルームに行き、彼をはじめ、さまざまな交換留学生たちと一緒に会話を楽しみました。正直、最初は話しかけるのに勇気がいりましたが、話すと自然と緊張はなくなりました。授業が終わったあとは、アメリカ人の先生の教室にお邪魔して雑談をしたりして過ごし、家に帰ると、ジョッシュと今日1日の出来事を英語と日本語を交えながら雑談して楽しみました。

また休みの日も外国人の友だちと飲みに行ったり、映画を観たり、みんなで一緒にスポーツをしたりと、とにかく英語づけの日々を過ごしました。

そんな日常を繰り返すことにより、自然と「教科書では学べない実践的な英語」を

学ぶことができたのです。これを私は「ストリート・スマート・イングリッシュ」と呼んでいます。

英語ネイティブで「How are you?」と聞かれて「fine」と返答する人はいないという事実も、教科書だけで学んでいては一生知ることはないでしょう（ちなみにネイティブであれば、GoodとかPretty goodなど言う人が多いです）。**言語を学ぶときは机上で学ぶよりも、どんどん使って、間違ってもそれを直しながら覚えるのが一番の近道です。**

そこまでがんばれたのは、1年半後、今度は私がアメリカへ留学することが決まっていたことも大きな理由のひとつでした。だからこそ「いま学ばなければ、1年半後にヤバイことになる」という思いが、ほどよいプレッシャーとなっていたのです。

最初は英語ばかりの日々に疲れたこともありましたが、同じように苦戦しながら日本語を勉強しているジョッシュが身近にいることが、私にとって励みになりました。

このように、アメリカへ留学する前に、なかば強制的にホストファミリーになったり、英語を実践経験で学ぶ機会をつかんだことは、その後、実際に現地で学ぶ私にとっていい経験となりました。

教科書では教えてくれない実践英語を学ぼう
「How are you?」
の答えは「fine」か
教科書だけでは一生
わからない英語がいっぱい！
「fine」は実際
使われないのか
How are
you?
Pretty good
外国人と積極的に話してみよう！！

超・学習法 31

日本にいながら「使える英語」を学ぶための7つのコツ

ジョッシュとともに生活していたころ、ちょうど『英語は絶対、勉強するな！』（サンマーク出版）という本がベストセラーになっていました。

この本を読んだとき「この交換留学というシステムは、まさにこの本に書かれてあることを実践できている」と思いました。

なぜなら、**本当の意味の学びとは、教科書には書いていないことが多い**ことを実感していたからです。

たとえば、ビジネスパーソンが海外出張の際に「Nice to meet you. Where are you from?」だけを覚えても、それ以上会話ができなければ何の役にも立ちません。

あなたも海外に出かけたとき、学校で習った文法をそのまま使ったのになぜか伝わらなかったという経験があるかもしれません。**つまり、本当に使える英語というのは、残念ながら学校では習わないことが多いのです。**

であれば、言語を学びたいならその国へ飛び込むこと。

それが、その言語をマスターするベストな学び方です。

フットワークの軽い10～20代であれば、思い切って留学することをおすすめしますが、仕事を辞められないとか家族がいるという人からしたら「留学」というのはハードルが高いと思います。

しかし、留学まではしなくても言語を学ぶ方法はいくらでもあります。

ここからは、日本にいながら英語を習得するためのシンプルな7つのコツをご紹介します。

ここでは英語を例にしてお話ししますが、これは英語のみならず他言語に関しても同じことが言えます。英語の箇所を、あなたが学びたいと思う言語と仮定して読んでみてください。

コツ1「邦楽から離れ、洋楽を聴く」

そもそも音楽とは、リラックスしたいときやモチベーションを上げたいとき、集中したいときなど、自分の感情に合わせて選ぶことができます。何かをしながら同時に聴覚を刺激することができるため、潜在意識に語りかけることができます。

つまり音楽を聴きながら身体を動かしたり、部屋の掃除をしたりするということは、同時に2つのことをおこなうことができるという意味があり、**何かをしながら洋楽を聴けば、同時に英語を身体に染み込ませることができるということになります。**

聞き取れた単語や気になる単語があれば、すぐに単語の意味を調べたりすることです。そうすることで、インプットとアウトプットを同時にすることができます（歌詞が知りたいときは「曲名&Lyrics（歌詞）」で検索すると出てきます）。

よく「英語を学びたいならビートルズがいい」と勧める人もいますが、だからといって絶対にビートルズを聴かなくてはいけないというわけではありません。

大切なのは、自分が好きな音楽であることです。

大好きなアーティストだからこそ何度も聴くことができますし、また聴きながら一緒に歌ったりするという行為が何よりアウトプットになります（個人的におすすめはU2. COLDPLAY. Katy Perry.などです）。あなたもぜひ、自分が好きなアーティストや曲を選んでくださいね。

コツ2「スマホの設定を英語表示にする」

いまこの時代は、スマホひとつあれば、仕事も買い物も講座も飲み会さえもできる時代です。

スマホはパソコンよりも密着度が高く、仕事に行くときも寝るときも、お風呂に入るときすら肌身離さず持っているという人もいるほど、現代人と密接しています。だからこそ、そのスマホを学びに活かさない手はありません。

私が英語を勉強しはじめたころ、最初におこなったのが「携帯の設定を英語に変える」ということでした。**普段何気なく触っていたスマホなのに、英語の設定にした途**

端**「え、これってどういう意味？」というワードがとても多いことに気づきました。**

そして、その意味をすぐ調べ、その機能と英語が直結すると、ひとつのゲームをクリアしたような楽しい気持ちになったことを覚えています。

それに、**スマホは毎日触れているからこそ脳の定着も早い**です。

わからない単語を調べることで、スマホの意外な機能を知ることもできたりと、まさに一石二鳥で英語を学ぶことができました。

これはスマホの機能にくわしく、流行りにも敏感な若い世代の人にとっては、非常におすすめの勉強法です。

コツ3「読みなれた本・映画・海外ドラマを英語で読む&観る&聞く」

「英語を学びたい」と意気込む人ほど、映画を観るとき、突然「字幕なし」で観ようとしたりします。かくいう私もアメリカに留学中「KILL BILL」という映画をいきなり「字幕なし」で観たとき、まったく意味がわからず、わかるまで何度も観たという経験があります。

いくら英語づけにしたいと思っても、内容がわからなければ意味がありません。

そうなってしまうと、英語の勉強どころか、英語が嫌いになってしまう可能性もあります。

であれば、**突然「字幕なし」で観るのではなく、すでに内容を把握している映画や海外ドラマをまずは「英語字幕あり」で観て、その後「字幕なし」で観てください。**

海外ドラマは一話あたり30分程で、たとえ多少内容がわからないところがあっても、あっという間に時間が過ぎてしまうので映画よりもおすすめです。

何度も観て、内容を把握している映画であれば、少なからず「このシーンでは、あのセリフを言うはずだ」と、ある程度は理解しているはずです。

だからこそ、頭のなかで「この決めゼリフは、英語ならこう表現するのかな？」と推測し、確認しながら内容を理解することができます。

そこでさらに「感動して涙が出た」という場合は、「あ、いま自分は英語の映画を観て感動して泣いている」と、別の意味でも嬉しくて涙が出てしまいます。

これは読書でも同じことが言えます。最初から何が書いてあるかわからない英語の本を読むのは、間違いなく飽きてしまいますし、読み切れません。

わからない単語を調べながら読み進めるにも限界があります。であれば、すでに内容を把握している本の英語版を探して、それを読むことからはじめましょう。

また、**オーディオブックや動画を利用する場合は、「対談形式」になっているものだとより理解しやすいです。**誰かが一方的に英語を話しているものは、「ん？」と思った瞬間に、そこから思考が止まってしまいますが、対談形式なら、ひとりの言葉が切れるたびに頭のなかでリセットができ、内容が把握しやすいという利点があります。

最初はほとんど何を言っているかわからなかったとしても、何度か聞くうちに20〜30％わかるようになり、10〜20回ほど聞けば40〜50％わかるようになり、20〜40回ほど聞けば90％わかるようになっていきます（もちろん個人差はあります）。

重要なのは〝聞き流し〟ではなく、何かをしながらでもいいので〝集中しながら聞く〟ことです。

効率的に聞くために「Audipo」というアプリを使うのも効果的です。聞く必要のない箇所をカットしたりできますので、聞くべき箇所だけを集中して繰り返し聞くことができます。

大事なのは大量の英語を聞くこと。目安として1英文あたり、初中級者は「40回の

リスニング」と「20回の音読」の反復学習をおこなうことです。

そして、その英文をほぼ暗唱できるようになったら、次の英文に移りましょう。

また、本を読むときに「読みなれた本がない」という場合は、絵本がおすすめです。絵本のように短い文章であれば、わからない単語を少し調べるだけで意味が理解できますし、なにより絵が描いてあることにより内容が想像しやすいです。

誰でも幼いころ読んで大好きだったという絵本があると思います。ベストセラーとなった絵本であれば、たいがい英語版が出ています。

子どもがいる人は、子どもが好きな絵本の英語版を一緒に読んであげるのもいいでしょう。親子で楽しみながら英語を学ぶことができます。ちなみに、私のおすすめは『チーズはどこへ消えた?』(スペンサー・ジョンソン著)です。

コツ4「自分の好きなこと・趣味・仕事に関するネットメディアや本を英語で読む」

前述したとおり、私は学生のときから自己啓発書が大好きでした。

だからこそ、自己啓発に関する記事や雑誌や本を「あえて英語で読んでみたい」と自然に思えたのです。

自己啓発に関することは興味がありましたが、物理学に関することはいつになっても興味を持てなかったので、それに関する単語はどうしても覚えることが苦手でした。

そもそも、人にはそれぞれ得手不得手があります。そして、自分が好きだと思うことは自然と脳がリラックスしオープンになっているので、吸収も早いです。

だからこそ、自分が好きなことと、興味があることと、英語を結びつけて学ぶことを意識しましょう。

たとえば、いまあなたが接客業をしているのなら、

「いらっしゃいませ、はWelcome, how may I help you? というのか！」

「またお越しください、はThank you for coming, see you soonと伝えるのか」

など、あなたが馴染みのある言葉を英語にしてみるのも楽しいです。

普段の自分がよく発する言葉や単語ですら、英語でどう表現するかなんて考えたこともないという人が多いでしょう。だからこそ、あなたの日常語が英語ではどう表現されるか知ることは、新鮮な気づきとなります。

仕事以外でも、趣味でダンスを習っているとか、野球観戦が好きとか、将棋が好きとか、ディズニーが好きなど、人にはそれぞれ好きなことがあると思います。そして、そのものごとに英語で触れてみるという意識を持ちましょう。たとえば、

「将棋の〝駒〟は英語なら何というのだろう？」

「このディズニー映画は英語タイトルでは何というのだろう？」

「日本だけでなく、今度は海外の野球チームの試合を見に行こう」

というふうに、自分の好きと英語をつなげることで英語をより身近に感じることができますし、そういう思いが学ぼうという意識を駆り立ててくれます。

コツ5「仲間と一緒に学ぶ」

語学を学ぶには、まずは、それを強制的に学ぶ環境に飛び込むことが第一です。

私が留学を勧めるのは、強制的な環境を実行できるからです。

日本にいながらにしても、強制力を使って学ぶ方法はたくさんありますが、なかでも高い効果があるのが、仲間と一緒に学ぶということです。

「学ぶ」というと、どうしてもひとりで黙々とやるというイメージがあると思います。しかし、同じような志を持つ仲間と一緒に学べば、それが強制的に学ぶ環境を簡単につくることにつながります。

私が英語を学んでいるときも、同じように英語をマスターしたい友だちと一緒に学んでいました。拙著『やらない決意』（サンマーク出版）にも書きましたが、人間の意志力より環境の力のほうがどうしても強いのです。

たとえば「これから1時間は日本語禁止」というルールをつくって会話をするとか、「外国人しかいないコミュニティに行ってみる」というように、できるだけ強制力を高い位置に持っていくのです。

人は強制力が高ければ高いほど、成長のスピードが速いのです。

そして、そのためには環境と仲間が必須です。

アメリカへ留学した当初は、友だちとカフェでコーヒーを頼むにも動揺しましたし、コーヒーという発音も何度言っても伝わらない場合もありました。最初はとても苦労をしましたし、恥ずかしい思いもたくさんしましたが、仲間がいたから乗り越えることができました。

いま日本でも、社内共通語が英語という企業が増えています。

そういう企業に勤めている人たちは「勉強しなきゃ」という気持ちと強制的な学び空間により、さらに英語が上達するでしょう。また、そういう学ぶ意識があるからこそ、企業自体も成長していくのです。

コツ6「ひとりごとを英語で言う&音読する」

インプットしたことをアウトプットすることが大事だというお話をしましたが、そのアウトプットの例として利用したいのが「ひとりごと」です。

いくら一緒に学ぶ仲間がいても、「家に帰れば日本語まみれの生活をしている」という状態であれば意味がありません。

つまり、**ひとりでいるときこそ英語で話すことを意識するのです。**

みんながひとりごとで言いがちな「今日は疲れたな」は英語で言うと、「I got tired.」と言います。また、ポジティブなひとりごとで「自分ならできる」は英語では、「I can do this!」と言います。

このように、あなたが普段よく口にしていそうなひとりごとを、英語で口にしてみましょう。最初は、「なんだっけ?」と思っても、次第に英語でいうひとりごとが定着してくるでしょう。

これが習慣づくと、まるで自分がもはや英語をマスターした気になりますし、その思い込みがまた学ぶうえで非常にいい影響をもたらします。

また、ひとりごとだけではなく、ひとりでいるときに思ったこと、感じたことをメモするときも英語で書くようにしましょう。

私はいまでも、ふと思いついたアイデアや企画、執筆の際に書きたい内容などは、スマホに英語でメモすることを習慣にしています。

そのメモは決して誰かに見せるものではない、いわばネタ帳のようなものです。だからこそ、間違っても誰からも責められることはありませんので、なおさら自由に書けます。

ひとりでいる時間こそ英語を口にする、そしてメモする。それをクセにできれば、間違いなくあなたの英語力はぐんぐんと上がっていきます。正しいスペリングや文法はネットで検索すればすぐ出てきますので、どんどん検索してみましょう。

コツ7「憧れの人を見つけ、真似をする」

現在はオンライン英会話もたくさんのサービスがあります。

「オンライン英会話」「Zoom英会話」などで検索して、自分に合った先生を選んだり、オンライン上で学べる英会話がたくさんあります。

そういうサービスを利用するのも、英語を学ぶには効果的だと思います。

しかしながら、数が多いほど、どの先生を選んでいいか逆にわからないと悩む人も多いのではないでしょうか。

そういう場合は、次の2つをポイントに選んでみてください。

まず1つめは、「尊敬できる先生」です。

いわずもがな、人は相手から教えを乞う場合、相手を尊敬していないと頭に入ってきません。キャリアがあったり、いままで何万人もの生徒を育てたベテラン先生だったり、若くてエネルギーが高い先生だったり、あなたにとって尊敬できる先生を選ぶことが大事です。

人には必ず相性があります。いくら人に「この先生がいいよ」などと勧められても、あなたがピンとこなかったら、その人はあなたにとってベストな先生ではありません。体験学習などを経て、あなたが納得する先生を選びましょう。

そういう先生と出会えたら、英語だけではなく、その人の言動に注目して見てください。

とくに、外国人は何をするにも非常にリアクションが大きい人が多いです。

たとえば「おいしい」というときも、「It's so good!」とか「That's delicious!」といいながら、身体を使って表現します。

そういうときこそ声のトーンやスピード、アクセントをどこに置くか、手の動きや表情などをよく見て真似してみましょう。ボディーランゲージやリアクションを真似することも、英語を学ぶうえで大事なポイントです。

2つめは「日本語がそこまで得意ではない先生」です。

英会話の先生というと「英語も日本語もペラペラ」というイメージがありますが、

それだとどうしても日本語で会話してしまうことが多くなります。最初は誰でも英語が話せないわけですから、日本語が話せる先生のほうが安心できると思いがちです。

しかし、それではその安心感にあまえが出てしまいます。

前述した「強制力」という意味でも、なるべく日本語が得意ではない先生にすることが、あまえを絶たせること、そして、より英語を早く学ぶことにつながります。


また、相手が何を言っているかどうしても理解できないときは、

「Could you say one more time?（もう1度言ってくださいますか）」

「Could you speak more slowly please?（少しゆっくり言ってもらえますか）」

と恥ずかしがらずに聞きましょう。

日本人は、どうしてもわからないことがあると聞き流してしまいがちです。

しかし、**これから英語をマスターしたい、世界を広げたいと思うなら恥を捨てることです。**わからないことを積極的に聞くということは、自己主張をするうえでも大事です。どんどん自分から質問しましょう。

また、ＴＥＤ（https://www.ted.com/）やYouTube上で、自分の憧れの人のスピーチを聞くのも有効です。

同じ動画を最低7回は見てください。英語字幕ありで見て、その動画を見ながらシャドウイング（音源のあと1～2語遅れて、影（shadow）のように音源通りに声に出して追っかけていく練習方法）を何度もしたり、身振り手振りを真似てみたり、ある程度理解できてきたら字幕なしで見ていくのもいい方法です。

以上の7つのポイントは、あなたがいますぐにできる勉強法です。できることから少しずつはじめることで、あなたの語学力と、学びたい意欲があふれることは間違いありません。このポイントをひとつずつ押さえることで、少しずつ英語のレベルが上がっていきますので、ぜひ意識して学んでみましょう。

日本にいながら英語を身につける7つのコツ

\これで完ぺき!/

1 **「邦楽から離れ、洋楽を聴く」**

➡ 何かをしながらでも、英語を身体に染み込ませる

2 **「スマホの設定を英語表示にする」**

➡ 毎日触れるからこそ脳の定着も早い

3 **「読みなれた本・映画・海外ドラマを英語で読む&観る&聞く」**

➡ まずは「英語字幕あり」、その後「字幕なし」で観る（映画・海外ドラマの場合）

4 **「自分の好きなこと・趣味・仕事に関わるネットメディアや本を英語で読む」**

➡ スポーツが好きなら、スポーツの本など

5 **「仲間と一緒に学ぶ」**

➡ 日本にいながら強制力を使える

6 **「ひとりごとを英語で言う&音読する」**

➡ 思ったこと、感じたことをメモし、それも英語で書こう

7 **「憧れの人を見つけ、真似をする」**

➡ 「尊敬できる先生」や「日本語がそこまで得意ではない先生」を選んで真似をする

超・学習法 32

できるまで継続する

少々極端な例になってしまうかもしれませんが、私がアメリカへ留学しようと決めたとき、「英語をあきらめる」という選択肢は持ち備えていませんでした。

「あきらめる」というのは、具体的にいうと「英語を話せないまま帰国する」ということですが、そんな状況になる自分は想像していませんでした。

なぜなら、あきらめると、留学やその準備にかけたお金や時間がムダになってしまうからです。その事態だけは絶対に避けたかったという切実な想いもありました。

人は、何かを習得するために行動するとき「マスターするまで続けることができるかな」「途中で挫折したらカッコ悪いな」などと思ってしまい、不安になることもあるでしょう。しかし、そういう思考でいると、そういう行動へと導かれてしまいます。**ネガティブな思い込みに足を引っぱられるようでは、何のジャンルであれ上達することはできません。**

もちろん英語を学び続けていても、あきらめそうになることや、本当に自分にできるのかな、と不安になることもあるでしょう。

そんなとき、たとえば私の場合「アメリカ人と楽しく会話をしている自分」を毎日イメージしていました。まだまだまったく話せていないのに、流暢に会話を楽しみ、大笑いしている自分をイメージするだけで、モチベーションが上がったものです。また海外ドラマや映画を見て、自分がその場面にいるのをイメージするのも有効です。そういうイメージを持ち続けたからこそ、あきらめることなく英語をマスターすることができたのです。

不安になったら「なぜ?」の部分に立ち返る

そして、**そういうイメージを持つためには「なぜ英語を学びたいか?」という答え**

を明確に持つことがとても大事です。

たとえば「将来海外に住んでみたい」「シリコンバレーで働きたい」「アメリカ人と結婚してハーフの子どもを育てたい」など、どんな夢や理由でも構いません。語学を学びたいと思う先にはかならず人それぞれの夢があるはずです。

それを恥ずかしがらず、明示すること。なぜその夢を叶えたいのか、理由を思い出すこと。そして、それを叶えた自分をイメージすること。

その意識を持ち続けることができるかできないかで、あなたが学びを習得できるか、結果が変わってきます。

そのように結果を明確にすることで、挫折しそうになったときも、初心に戻ることができ、またやる気を持ち直すことができます。

そうはいうものの、正直に言うと私も以前、留学するために必要なＴＯＥＦＬテストの点数がなかなか上がらず、挫折しそうになりかけたことがあります。

「やっぱり、日本で生まれ育った自分には英語はできるようにならないのかな」と弱気になったこともあります。アメリカの大学は自分にはハードルが高すぎる、とあきらめようと思ったこともあります。

そういうときこそ「なぜ私は英語を学ぶのか？」という問いを自分に投げかけました。**そこで出てきたのは「アメリカに留学して、自分の可能性を広げたい」「アメリカの本場でビジネスやコーチングを学びたい」「英語を勉強してペラペラになったらカッコいいだろうな」という自分の心の奥底にある夢や本音でした。**ここで書くのも恥ずかしいような夢ですが、そういうものと心から向き合うことが大事です。

そこに向き合ってみると、不思議と次に「英語の点数が上がらない理由」が見えてきたのです。原因と結果にはかならず明確な理由があります。自分の場合はＴＯＥＦＬに必要な単語数が圧倒的に足りないというシンプルなものでした。

そこからは単語を部屋にポストイットで貼りまくったり、つねに単語帳を手もとに持って暇があれば読んで暗記したり、ノートに単語を書きなぐったり、24時間英語づけになりました。「どんな手段を使っても点数を上げてやる」という覚悟を持ち、とにかく起きている時間はすべて英語の学習に使い、寝ている間も睡眠学習と称して、英語のＣＤを毎晩聞いていました。

その結果、半年後には無事にアメリカの大学に正式に留学できるだけの点数を獲得することができました。あきらめなくてよかった、と心の底から感動したものです。

結果に直結する「集中力」の鍛え方

トップになるには何が必要か。
集中力、鍛錬、そしてひとつの夢

フローレンス・ナイチンゲール

第4章

効率よく学びを習得するためには

集中力が欠かせません。

しかしながら、学びと集中力が

直結されていない人がたくさんいます。

集中力を上げるための習慣や方法を知れば

あなたの学び力はグンとアップします。

超・学習法 33

集中力のピークをコントロールする

日本の学校の授業時間は、小学校で約45分、中学・高校になると約50分ですが、大学になると小学校の2倍の約90分になります。

私が小学生だったころを思い出してみると、45分の授業ですら集中し続けることはむずかしかったのに、大学に入り突然90分となると、いくら成長したとはいえ、最初から最後まで集中できる人はほとんどいません。

さらに、社会に出ると（職種にもよりますが）多くのビジネスパーソンは9時から17～18時くらいが就業時間となり、昼休みを除いて毎日少なくとも7～8時間働きます。

学生のころのような時間の区切りはなく、同じような仕事、同じような作業を繰り返しおこなうことになりますが、7~8時間もの間、集中力し続けるというのは不可能だと思いませんか?

東京大学大学院の池谷裕二教授と株式会社ベネッセコーポレーションがおこなった「勉強時間による学習の定着・集中力に関する実証実験」によると、**「連続して60分」勉強をしたグループよりも「休憩をはさんで15分×3(計45分)」勉強をしたグループのほうが、テストの点数が高いという結果が出たそうです。**

私自身も、いくら忙しいからといって、ずっと机に向かって同じ作業をするのは不可能だと思っています。休憩を挟もうと、同じ場所で同じ内容に8時間も向き合うというのは、身体にとってもよい状態とはいえません。

シリコンバレーで働く人たちも、昔は泊まり込みで仕事をする人が多くいたようですが、いまは与えられた9時~17時の間でいかにパフォーマンスを上げて効率よく仕事をするか、というカルチャーに変化しているそうです。

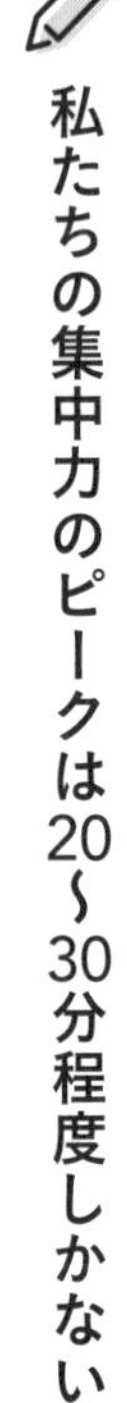

私たちの集中力のピークは20～30分程度しかない

思えば、少し前の日本も、
「残業することは仕事熱心でえらい」
「新入社員は上司より先に帰ってはいけない」
というような風潮がありましたが、いまでは残業を禁止している企業が増えています。これは、集中力や効率アップという観点からも非常によい傾向です。

そもそも、本当に人が集中して最高のパフォーマンスが発揮できるのは20分から、長くても30分ではないでしょうか。

成人の注意力持続時間の限界は、平均してわずか20分程度であることが、海外の研究で判明しています。

なので、私は仕事中、30分毎にトイレに行ったりストレッチをしたり、意図的にデスクから離れてリフレッシュします。

また90分か120分に一度は、オフィスや家の外を5～10分くらい、水を飲みながら散歩します。

そのように、つねに自分を最高の状態で集中できるようにしています。

多くのビジネスパーソンは、オフィスに着き、まずはコーヒーを飲んだりして10時くらいから本格的に仕事をします。

2時間ほど集中して仕事をし、その後ランチを挟みますが、午後になれば眠くなってしまうという人も多いようです。

案の定、眠気と戦いながらする仕事は、頭が働かず効率が悪いです。

であれば、1日のなかでもっとも優先順位が高い仕事内容をひとつ決め、その仕事だけは集中しておこなうと決めたほうが、よっぽど効率がいいでしょう。

私は集中のピークが20分から30分であると把握したうえで、その日のやるべきことを計画的におこなうようにしています。

時間をこまめにくぎって集中力をコントロール

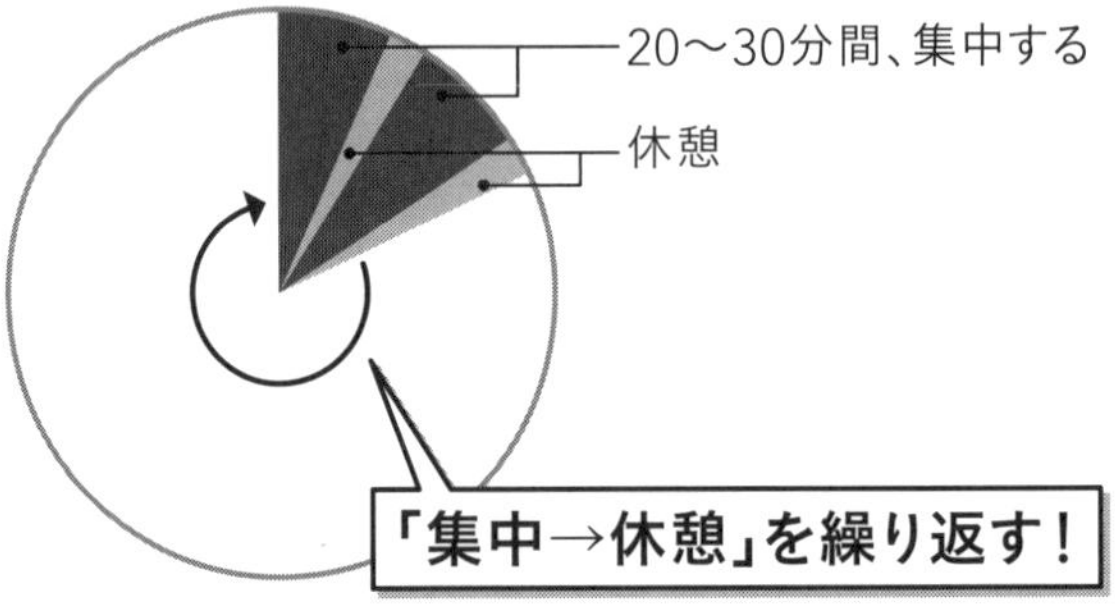

たとえば執筆に集中したいと思うなら、午前中にもっとも意志力を使う執筆作業をひとりでしたり、また午後にはオンライン会議など人と会ったり打ち合わせをしたり、またオフィスから少し離れてカフェで打ち合わせや読書をしたりと、時間を効率的に使うようにしています。

いくら忙しいとはいえ、7〜8時間も同じモチベーションでがんばり続けるのは無理があります。**20〜30分ごとに休憩を入れて、集中力を最大限に高めていくという働き方のほうが、よほど生産性が高い**のです。

自分オリジナルの「超・集中環境」をつくる

集中力の限界が20〜30分であればなおさら、自分が集中できる環境をつくり、そこで仕事をしたり学んだりする必要があります。

たとえば、あなたが家で仕事をする場合は、自分だけの部屋を設け、そこで誰にも邪魔されず仕事をするのが理想です。

自分だけの部屋といっても、**ベッドルームは別で、仕事をするためだけの書斎を持つことがよりベスト**です。

ほかにも、次のようなことを意識するといいでしょう。

集中環境をつくる6つのコツ

(1) 机の上を徹底的に整理整頓する

机の上にはムダなものを一切置かず、つねに整理整頓をしましょう。

私は基本的にはパソコン以外のものは机の上には置きません。集中力を妨げないために、スマホは意図的に手の届かないところに置いておきます。

仕事や勉強に関係のないものが目に入ると、そのぶん集中力が阻害され、そちらに意識が傾いてしまう可能性があります。なるべく視界に入るものを減らすことを心がけましょう。

(2) 部屋の空気を綺麗にする

空気清浄器などを使ったり、窓を開けて換気したりするなどして、つねに清潔な空間を心掛けましょう。

また、レモングラスやローズマリーなど、集中力を高める作用があるアロマオイルを焚くのもおすすめです。前述しましたが、香りは非常に脳にダイレクトに作用しますので、ぜひ試してみてください。

(3) ヘッドフォンを使う

「この3時間だけは集中したい」と思った場合は、ヘッドフォンなどをして雑音をカットするなど、集中力を維持する空間をつくりましょう。

まわりの人たちも、「あ、いまは集中したい時間なんだな。話しかけるのをやめよう」と理解してくれるはずです。

私も飛行機などの移動中にはヘッドフォンをしながら音楽を聴いたり、読書をしたりして、自分だけの世界をつくります。個人的におすすめは「BOSE」のノイズキャンセリングヘッドホンです。

(4) スマホの電源を切る

集中したいと思う時間は、スマホの通知をオフにしましょう。

スマホこそ、集中力を妨げる最大のツールといっても過言ではありません。

スマホはとにかくあなたの手を止めさせる通知の連続です。友だちからのライン、仕事の電話やメール、SNSなど、まるで「見て！」と訴えるかのように、あなたの行動を阻害します。それを一つひとつ確認していては、集中力どころか何ひとつ作業は進みません。

であれば思い切って携帯から離れてみましょう。よほどのことがない限り、1分1秒を争う事件はありません。3時間くらい自分だけの集中時間をつくるのも、あなたの長い人生において必要なことです。

（5）インターネットやWiFiを切る

同じようにネット環境を切ることもおすすめします。

たとえば、資料を作成したり執筆しているときに、メール受信通知が気になったり、ふと何かを調べたくなることもありますが、そういった意識はネットという便利さゆえ生まれてしまうものです。必要であればWiFiを切ったり、あえてネットがつながらない環境に行ったり、Focus Me（https://focusme.com/）のような、時間設定でネットが使えなくなるアプリを使うのも有効です。

(6) 自分だけのお気に入りの「集中空間」をつくる

家でそういった環境がつくれないという人は、お気に入りの場所をつくるといいでしょう。普段とは違う場所に身を置くと、自然と違うモードの自分に変わることができます。

たとえば静かで居心地のよいカフェは、あなたと同じように勉強したり、仕事をしたりする人も多いのでおすすめです。そこで勉強や仕事をすることに慣れると、自然とあなたも、そのカフェへ行くと集中力のスイッチが入ります。

つまり、カフェに行くということ自体が、あなたの集中力を高めるためのトリガーになり、条件反射で集中できる空間をつくりだすのです。

また、そのお気に入りの場所は、用途によって分けるといいでしょう。

私の知り合いのコピーライターは、大事なコピーを書くときにはかならず図書館で作業すると決めているそうです。

オフィスやカフェだとまわりの雑音や店内の音楽、人の会話が気になってしまうので、物音がしない図書館が最適だそうです。反対に、そういった雑音があるほうが集中できるという人もいるので、自分がどんな空間にいるのが集中できるのか試してみるのもいいでしょう。

私自身も集中してインプットしたいというときは移動中が多いです。

仕事柄、移動が多いせいもありますが、飛行機や電車やタクシーのなかなどでは読書をしたり、資料を読んだりするのが習慣となっています。またそれが私にとっていい習慣であり、脳への定着もいいと感じています。

しかし、クリエイティブな作業をするときは、やはりひとりの空間がいいです。

日常とは異なる空間に身を置くことで、普段とは違うスイッチが入り、それが脳の奥に眠る集中力を引き出してくれるのです。

仲のいい作家たちも「執筆や創作活動などをするのは、自然のなかが一番」と声を揃えていいます。

これは「バイオフィリア」といって、人が本能的に自然とつながりたいという性質を持っているためですが、いずれにせよリラックスしながらいつもと違う空間に身を置くというのが、集中力をつくる空間の最大のポイントです。

自分オリジナルの「超・集中環境」をつくる6つのコツ

❶ 机の上を徹底的に整理整頓する
➡ パソコン以外のものは置かない、スマホは遠ざける

❷ 部屋の空気を綺麗にする

❸ ヘッドフォンを使う
➡ 雑音をカット、まわりの人たちも話しかけてこなくなる

❹ スマホの電源を切る
➡ または通知をオフにする

❺ インターネットやWiFiを切る

❼ 自分だけのお気に入りの「集中空間」をつくる
➡ 普段と違う場所に身を置くと、自然と違うモードの自分に変わることができる
➡ カフェ、図書館、移動中etc….

集中空間!!

超・学習法 35

「仮眠」「シャワー」「マインドフルネス」を使う

とはいえ、学習や仕事をしているときに、どうしても集中力が阻害されてしまうこともあるかもしれません。そんなときは次の3つの方法を実践して集中力を回復し、その後、学習や仕事に最大限の集中力を発揮しましょう。

集中力を回復する3つの秘訣

・秘訣1「30分以下の仮眠」

アメリカ航空宇宙局（NASA）による研究で、**26分の仮眠をとったパイロットは、仮眠をとらなかったパイロットより注意力が56%上昇し、仕事をこなすのに必要な集中力が34%上昇することが明らかになりました。**これは「仮眠」が、夜の睡眠で得られる認知機能の回復と同レベルの効果を得られることを示しています。

一方で、カナダのブロック大学神経科学部教授であるキンバリー・コート氏は、26分よりも長い睡眠時間だとより深い眠りにつくため、脳が活動停止状態になってしまうと指摘しています。リフレッシュの程度を越えてしまい、かえって頭が働かなくなってしまうのだそう。

なので、**休憩の際は、睡眠周期のなかでももっとも効果的にリフレッシュ可能な「10〜25分程度の仮眠」を取り入れてみてください。そうすれば、集中力を保ったまま作業を始めることができます。**

家で学習していればベッドやソファで、職場など外にいるときは公園のベンチや最近は睡眠カフェなどもできているようなので、ぜひ仮眠を試してみてください。

また**昼寝のコツは、意外に思われるかもしれませんが、「昼寝前のコーヒーの摂取」です。カフェインが体内に吸収されるのは摂取から約30分後なので、仮眠前にコ**

ーヒーを飲むと目覚めるころにちょうど覚醒効果が表れ、シャキッと目覚めて午後の仕事に向かえるようになります。

広島大学が大学生10人を対象におこなった研究では、**20分の昼寝をすると成績の低下度合いが少なくなるが、ただ昼寝をするだけでなく「昼寝前にコーヒーを飲む」「昼寝後に顔を洗う」「昼寝後に強い光を浴びる」などすると、成績低下がさらに防げたそうです。**

なかでももっとも効果が高かったのは「昼寝前にコーヒーを飲む」ことで、眠気も成績低下はほとんど見られず、眠気防止効果も少なくとも実験をおこなった1時間は持続したというデータも出ています。

・秘訣2「42℃のお湯でシャワー」

脳が疲れていると感じたときや気分を切り替えたいときには、「シャワーを浴びる」のもおすすめです。

横浜市立大学医学部教授の中村健氏らは2018年に、お湯の温度が42℃のシャワーと35℃のシャワーをそれぞれ20分間浴びた結果を比較する研究をおこないました。すると、**42℃のシャワーを浴びたときのほうが、神経細胞の働きを高めるタンパク質「脳由来神経栄養因子（BDNF）」のレベルが上昇したそうです。つまり、神経細胞を維持・増加・成長させ、学習や記憶を促進するための集中力を取り戻せるとわかった**のです。

あわせて、医学博士の小林弘幸氏は、シャワーを浴びると肌に刺激が生じて交感神経が活性化されるため、「目覚め効果」がもたらされてスッキリできると伝えています。作業がはかどらなくなったら、休憩時間に温かいシャワーを浴びることが特効薬になるのです。

・秘訣3「マインドフルネス（瞑想）」

マインドフルネスとは、頭のなかから余計な考えを取り払うため、呼吸に専念し意識を現在に集中させることです。これは部屋やオフィスなどでも場所を選ばずできるので、もっとも取り入れやすい回復術です。

2015年に小学生を対象におこなわれた研究では、「マインドフルネスの時間を取り入れた生徒は、認知能力が高まり、算数の成績が向上した」という結果が出ています。また、カリフォルニア大学の研究者がおこなった研究でも、マインドフルネスを実践することで記憶力や言語能力、集中力が上がることが判明しています。

これは、新しいものごとに脳がフォーカスを当てたことによるものです。

頭のなかの雑念を一度リセットすることで、取り組むべきことに集中できるようになるのですね。座ったまま手軽にリフレッシュできるマインドフルネスのステップは、次のとおり。

（1）足を組み、視線を下げ姿勢を伸ばして座る
（2）最大21回、自分の呼吸を数える
（3）思考を抑えつけるのではなく、心が自然と休むようにする

疲れたとき、集中力を取り戻すためにぜひ試してみてください。

私も集中力が落ちているなと思ったときは、ここで紹介した3つの秘訣を取り入れることにより、集中力を回復し、リフレッシュした状態で学習や仕事に向かうようにしています。

集中力を回復する3つの秘訣

秘訣①

30分以下の仮眠

休憩の際に、「10〜25分程度の睡眠」を取り入れる。
昼寝のコツは昼寝前のコーヒー摂取！

秘訣②

42℃のお湯でシャワー

35℃のシャワーより42℃のシャワーのほうが、学習や
記憶を促進させ、集中力を取り戻せる

秘訣③

マインドフルネス（瞑想）

(1) 足を組み、視線を下げ姿勢を伸ばして座る
(2) 最大21回、自分の呼吸を数える
(3) 思考を抑えつけるのではなく、
　　心が自然と休むようにする

集中力を高める「ヨガ」を習慣にする

集中力を高めることを探究するなかで、『脳を鍛えるには運動しかない！』（ＮＨＫ出版）という本と出会いました。その本のなかには、脳の機能を最大限に高めるためにはどうしたらいいいかを、論文やデータをもとに調査した内容が書かれていました。

そして、集中力を維持する食事や瞑想など、**さまざまな実験をしたなかで、もっとも効果的だったのは「身体を動かすこと」というひとつの結論にたどり着いた**と書かれていました。

それを読んだ私は、さっそく筋トレやジョギング、ゴルフ、水泳など、さまざまな運動を試し、集中力との関連性を試してみましたが、私のなかで最終的にたどり着いたのが「ヨガ」でした。

これは個人的な意見かもしれませんが、私にとってヨガはたくさんのメリットがありました。

まず、ヨガの大きなメリットとして、どこでもできるということ。

朝起きてすぐにできますし、短い時間でできます。身体ひとつあればできる点が、時間を建設的に使いたい私には非常に合っていました。

というのも、私の場合、朝にジョギングや筋トレをすると、テンションが上がり過ぎてしまう傾向があります。すると、エネルギーの消費が早くなり、お昼になる前には疲れが出てしまうのです。

つまり私の場合は、朝にジョギングや筋トレをするということは、集中力という点ではマイナスに作用することがわかったのです。

もちろん「朝にジョギングするほうが、頭がスッキリしていい」という人もたくさんいます。これは明らかに個人差があるので、自分に合った運動を選びましょう。

そして、ヨガのメリットとして忘れてはいけないのが、自分の内側と対峙できる点です。

1日のはじまりに自分の心と向き合いながら、その日の目標や予定などを明確にする。そういう時間を少しでも持てるかどうかで、その日の行動が変わってきます。

また、ヨガを習慣化すると**「身体が柔らかくなる」「疲れにくくなる」「熟睡できる」**という身体の大きな変化もありました。

ヨガの効果は科学的に証明されている

ほかにも**「寿命が延びる」「若さを司るテロメア（染色体DNAの両端にあるもの。「命の回数券」と呼ばれている）が伸びる」**といった特徴があることもデータにより証明されています。

カリフォルニア大学によって、「瞑想」と「テロメラーゼ（テロメアを合成する酵素）の増減」の関連性を調べる実験がおこなわれました。

あらゆるヨガの流派の源流といわれている「クンダリーニ・ヨガ」の代表的な瞑想である「キルタン・クリヤ」を、被験者23人が毎日12分間、2か月間続けるという実験でした。

結果として、テロメラーゼを「平均で43%増加」させることが判明しました。

また、データとしての結果だけではなく、被験者は次のようにも述べています。

「世界が一変しました。おかげで本当によく眠れるようになったんです。確実に心が落ち着きました。瞑想はとても効果的で、自分がすべきことに集中できるようになりました」

これは、実験をおこなった精神科医でカリフォルニア大学ロサンゼルス校教授のラブレッキー氏にとっても、想定を超える結果でした。こうコメントを残しています。

「まったく未知のことで、とても意外でした。ストレスを受けると交感神経が働き、身体の緊張が高まります。逆に（リラックスさせる）副交感神経の働きは低下します。瞑想によって2つの神経のバランスがよくなり、テロメアにもよい影響があると考えられます」

つまり、ヨガは人の心を落ち着かせ、ニュートラルな状態を維持することが科学的にも証明されているのです。

そうと知ってからは、たとえば執筆や講座の準備などで忙しいときは、朝起きてすぐにヨガをおこない、午前中に2〜3時間集中して作業をして、午後になって一度、また心と身体をリセットするためにヨガをおこない、その後また集中して作業をするというようにスケジューリングしています。

つまり、**1日に二度、ヨガをすることで、集中力のピークを2回つくっている**というわけです。

最近は、YouTubeなどで「ヨガ」と検索すると、たくさんの動画が出てきます。初心者向けのものから上級者向けのものまでありますので、自分の状態に合わせた動画を選んでみてください。

ヨガは、しばらく運動をしていないという人でも気軽に安心しておこなうことができる唯一の運動です。ヨガマットさえあれば、ほかには何が必要というわけでもなく、身体ひとつあれば誰でもできます。

「集中力をつける」という意味でも数分で効果があり、あなたの与えられた時間を有効に使うのにきっと役に立ちます。

「ヴィンヤサヨガ」をちょこっと紹介

続けてやろう！

A.「ダウンドッグ」&「英雄」のポーズ1番

①四つんばいになる。両手は肩の真下、両ひざは腰の真下におく

②両手で床を押し、息を吐きながら、お尻を高く持ち上げる

③息を吸いながら右足を高く持ち上げ、息を吐きながら持ち上げた右足を両手の間に持っていく（左のかかとを天井に向ける）

④左のかかとを床につけ、息を吸いながら両手を床から離し、両腕を頭の上に上げながら上体を持ち上げる

超・学習法 37

世界のエリートたちがおこなう「瞑想」を習慣にする

ヨガをおこなううえで、忘れてはいけないのが瞑想です。

いまから5〜10年前は、瞑想というと「大丈夫?」「あやしい宗教にでも入ったの?」などと、変な目で見られることも多かったです。

しかし、いまは当たり前のように、誰もが瞑想を生活に取り入れています。

とくに経営者やリーダーなど、一流といわれる人たちは瞑想をしている人がとても多いです。それもそのはず、瞑想の効果もさまざまなデータで実証されています。シリコンバレーの企業であるGoogle、Facebook、Appleなどでは社員が瞑想するための部屋まで用意されているそうです。

瞑想の科学的効果

瞑想は「成績がアップする」「集中力が高まる」「不安が軽減される」など、人の心と身体によい効果が得られることが科学的に実証され、認知されています。

ドイツのケムニッツにあるケムニッツ工科大学の研究者によっておこなわれた1134人の被験者に関する21の研究の独立したメタ分析（メタ分析とは、すでに発表されている多数の実証研究の統計結果を統合することによって、学術研究で得られた知見を再分析する手法のこと）では、**瞑想がネガティブな感情、特性不安、神経症の減少、および自己実現の増大に関し、ほかの技術よりも有意に大きな効果があることがわかりました。**

私も毎朝、ヨガのあとに15分ほど瞑想をします。

たとえるなら**ヨガと瞑想はきょうだいのような関係であり、ヨガと瞑想、どちらも単体でも効果は得られますが、一緒におこなうことでさらに相乗効果が生まれます。**

瞑想をするときは、「ガイディットメディテーション」といって、いわば瞑想のガイドをしてくれる音楽をかけながらおこなうことが多いです（CDが売っていたり、YouTubeなどで音源があったりもします）。

ヨガをやったことがある人ならわかると思いますが、かならずヨガの最後に「目を閉じてください」「××に意識を向けてください」「感謝できることに集中してくださ い」などと、ヨガの先生がガイドをしてくれると思います。

このように、ひとりでおこなうときは瞑想のガイドをしてくれる音楽を流したり、また好きな音楽をかけたりしながら瞑想をしています。

午前中にヨガと瞑想をおこない、また午後になり集中力が欠けてきたなと思う場合は、午後にもう一度、瞑想とヨガをおこないます。

そうすることで、一度頭をリセットすることができ、また新たな気持ちで午後の作業に集中することができます。

合わせて、リラックス効果が期待できるラベンダーやゼラニウム、イランイランなどのアロマオイルを使うとさらに効果的です。ぜひ試してみてください。

超・学習法 38

集中力を飛躍的に向上させる「睡眠」の技術

集中力やパフォーマンスを上げるという意味で忘れてはいけないのが、睡眠です。睡眠を削ってまで仕事や勉強をしてしまう人が多いようですが、これは集中力という観点でも非常に効率が悪いです。「ショートスリーパー」という言葉もありますが、短眠にはやはり何かしらリスクがあることを覚えておきましょう（個体差はアリ）。

睡眠不足にはリスクしかない

睡眠不足は身体を壊すことが疫学的にも確認されています。

まず、免疫力が落ちます。

5万6953人の女性を対象にした調査によると、**睡眠時間が5時間以下の人は8時間前後の人たちに比べて1・39倍、肺炎になるリスクが高かった**という結果が出ています。

人の身体は運動や活動によって疲労したり、細胞にダメージを負ったりしますが、睡眠中に成長ホルモンが出てそれらを修復するようにできています。**睡眠不足だと、成長ホルモンの分泌が少なくなるため十分な修復がおこなわれず、その結果、老化が進みます。また、脂肪や糖の代謝が悪くなり、交感神経の緊張が続くため、血圧も上がるという結果も引き起こします。**

実際、睡眠時間が6時間以下の人は肥満、糖尿病、心臓病の有病率が高いという研究結果もあります。

さらに、うつ病、事故、自殺のリスクも高くなります。

4419人の日本人男性を調査した自治医科大学の研究から、**睡眠時間が6時間以下の人は7〜8時間の人に比べて死亡率が2・4倍高くなる**という報告もあります。

だから、私はどんなに忙しくても、かならず7時間半〜8時間半は睡眠を取るようにしています。

私個人は「オーラリング」という睡眠のスコアを計測するデバイスを使っているのですが、8時間以上9時間未満が一番睡眠の質が高く、スコアが高いのです（これには個人差があります。興味がある方は「オーラリング」で検索して、デバイスを手に入れてみてください）。

また、海外での仕事などが重なる場合などは、睡眠を管理するアプリ（Sleep Cycle）を利用しています。もっとも一般的なものはスムーズな目覚めをサポートしてくれる起床用の機能、入眠をサポートしてくれる機能、上質な睡眠のサポートをする機能などがあります。

なお、最近は睡眠中のいびきや寝返りの様子を録音、録画したり、心拍数を測定するアプリなどもあるようです。

こういったアプリを上手に活用すれば、自分の睡眠サイクルと睡眠の状態を知ることができ、それに合わせて快適な睡眠をとることができます。

もちろん「今日はなんだか眠れない」とか「何時間寝ても眠い」という日もあるでしょう。悩みや不安、ストレスを抱いたり、また興奮しすぎているなど、さまざまな要因により、誰にでも眠れないときがあります。


しかし、人の身体は意外とシンプルなものです。

「眠れないかも」と思う気持ちがさらに眠れない自分をつくり出してしまいます。

そうならないためにも、「最近、眠りが浅いなあ」とか「寝つきが悪いなあ」と思う人は、次のことを意識してみましょう。

良質な睡眠を助ける6つのコツ

（1）眠る1時間前からスクリーンを見ない

スクリーンというのはスマホやパソコン、テレビのことを指しますが、眠る1時間前にはそういった電子機器から離れることが大切です。

どんな内容であれ、スクリーンから得た情報は脳を刺激します。

であれば、いったんすべての電源を切り、脳を休ませてあげましょう。

そのため、私は眠る2時間前には仕事を終わらせるよう心掛けています。

つまり、眠る2時間前からすでによい睡眠をとるための環境を整えているのです。

睡眠前に読書をしたい場合は、紙の本かKindleペーパーホワイトという電子書籍リーダーを使いましょう。

(2) 眠る12時間前からカフェインを摂らない

たとえば24時に寝たいなら、お昼の12時以降はカフェイン(コーヒー、紅茶、緑茶)などを摂るのは控えましょう。

カフェインは摂りすぎると睡眠障害など、健康を害する可能性があります。その代わりに、私はカフェインを含まない水やハーブティーなどを飲むようにしています。

(3) ハーブティーを利用する

ハーブティーはカモミールティーがおすすめです。

カモミールティーは実際にあなたが眠るのを助けてくれます。だからコーヒー、紅茶やアルコールではなく、気持ちを落ち着かせてくれるカモミールティーなどのハーブティーを飲みましょう。

（4）サプリメントを利用する

現代人はほとんどの人がマグネシウム不足なので、睡眠に影響が出ています。マグネシウムはサプリメントなどで最大400ミリグラムを試してください。多すぎると下痢（腸の不快感・軟便）が発生し、睡眠に悪影響になる恐れがあります。睡眠の質を高めるためにはマグネシウムは必須のサプリです。

次におすすめは「GABA」です。

これは神経抑制性伝達物質です。あなたの脳が自分自身をリラックスするために使用するものです。使用量は500ミリグラムからはじめてみてください。とくに熱心に働いている方は仕事量が多く、ストレスが多い日の日中に使用するのをおすすめします。私も忙しいときは日中に使うこともたまにありますが、基本はリラックスしたい夜間の使用が最適です。

また良質な脂肪も摂取するようにしましょう。

就寝前に大さじ1杯のコラーゲンタンパク質や、MCTオイルを小さじ一杯摂取するのがおすすめです。深く安らかな眠りに入るには、少しのエネルギーが必要だからです。脂肪はあなたの身体にとって最良のエネルギー源です。それが、私が就寝前に少しだけ脂肪の摂取をすすめる理由です。


「CBDオイル」もおすすめです。

CBDはセロトニンという神経伝達物質と結合することが明らかになっています。セロトニンは不安の抑制や気分の安定をもたらすとされ、セロトニンの効果を高めることが不安障害やうつ病の改善にもつながります。

セロトニンの働きを促進することで、リラックス効果をもたらすことも期待できます。CBDのリラックス効果は睡眠にも大きく影響します。

実際にCBDが睡眠に影響することを示した報告もあります。

2019年の報告によると、不安から不眠などの症状を訴える72人の成人に対してCBDを処方したところ、67％の人が1か月の間に不眠の改善が見られました。

（5）バスソルトを使用する

「エプソム・ソルト」というものがおすすめです。

健康やウェルネスの専門家はエプソム・ソルトに溶け込んでいるマグネシウムが効果的に肌に浸透するといいます。その道の権威であるバーティ・ラジプット博士によると、疲れてこわばった筋肉をやわらげ、痛みを緩和して、リラクゼーションを助けるとのこと。つまり、それがよりよい眠りをもたらしてくれます。

（6）エッセンシャルオイルを使用する

ウェルネス専門家のビータ・アレクサンドロヴィッツによると、ベッドに入る前の気分を鎮めるにはバニラやローズ、ジャスミン、ラベンダーなどの香りが有効です。

良質な学びを得るためには、まずは身体が健康であることが大前提です。いくら何かを学ぼうという気力があっても、健康でなければ学ぶことができません。

そのためには、バランスのいい食事、良質な睡眠が必須なのです。

睡眠不足のリスクと良質な睡眠をとる6つのコツ

睡眠不足はリスクしかない

①免疫力が落ちる
②老化が進む
③血圧が上がる
④うつ病、事故、自殺のリスクが高くなる

「最近、眠りが浅いなぁ」「寝つきが悪いなぁ」と思う人は以下のことを意識しよう！

①眠る1時間前からスクリーンを見ない
②眠る12時間前からカフェインを摂らない
③ハーブティーを利用する
④サプリメントを利用する
⑤バスソルトを使用する
⑥エッセンシャルオイルを使用する

超・学習法 39

朝のルーティーンで集中力をアップさせる

集中力を高めるために忘れてはいけないのが、朝の散歩です。

人は生まれながらにして「サーカディアンリズム」という体内時計を備えていますが、そのリズムを整えることが健康につながります。身体が健康であることは脳の働きにも影響を及ぼします。

朝日を浴びることは、体内時計を目覚めさせ、1日のリズムをつくるのに非常に効果的です。なぜなら、朝日を浴びるとメラトニン（睡眠ホルモン）の分泌抑制機能が働くからです。

人は朝日を浴びると12時間後にメラトニンが分泌されるといわれており、7時に起きて9時に散歩をすれば、12時間後の21時ごろには次第に眠くなるのです。

つまり、朝日を浴びることで体内時計を正しく作動させることができるというわけです。

乱れた生活が続くなど、体内時計をリセットしたいときは、朝日を浴びるという手軽で効果的な方法を試してみてください。

わざわざ散歩に行かなくても、朝20分ほどかけて庭の植木に水をあげたり、洗濯物を干したりするのも、あなたの体内時計を整え、集中力を高める効果が期待できるでしょう。

〝バイオハック〟コーヒーを摂取する

また、集中力を手に入れるために、私は朝食にもこだわっています。

といっても、朝食は飲み物だけと決めています。

そもそも「今日は朝ごはんを何にしようかな?」と選ぶ時点で、意志エネルギーをムダに消費してしまうので、朝食は迷わずコーヒーか抹茶のいずれかにしています。

そこに「最強の油」といわれるMCTオイル、「奇跡のバター」と呼ばれるギーバター、またはココナッツオイルなど、脳にいいとされるオイルを入れます。

MCTオイルやギーバター、ココナッツオイルがいい理由は、脳の6～8割が脂肪でできているためです。だから、朝起きてすぐ油を吸収することで、脳の働きをよくする効果があるからです。

MCTオイルとギーバターを小さなブレンダーで混ぜ、そのままコーヒーカップに入れ、混ぜて溶かします。このとき小さなブレンダーを使うと、洗う手間が省けるのでおすすめです。

こうしてできたものを、私は「バイオハックコーヒー」「バイオハック抹茶」と呼んでいます。

カフェインには集中力を高める作用もありますので、脳を目覚めさせるという意味でも起きて朝散歩を終えた、60分後に摂取することを習慣づけています。

朝食を飲み物だけにする理由は、もうひとつあります。

人の身体が最適なパフォーマンスを発揮するには、継続的断食が必要だからです。

いまは空前の断食ブームですが、断食には胃腸の働きを促し、オートファジー（細胞がたんぱく質を分解し、自らの栄養源として再利用するシステム）や血流促進、心血管系や代謝系の健康を改善するといった効果が期待できます。

私の場合は、12時に昼食を、20時までに夕食を食べることを習慣化していますので、約16時間はほぼ毎日断食していることになります。

これらのルーティーンをぜひ参考にして、あなたも集中力の改善をはかってみてください。

「オンライン」を駆使して学びを加速させる

私たちのミッションは、
どこでも誰にでも、
無料で、国際レベルの教育を
提供することです

世界最大のオンライン教育会社「カーン・アカデミー」創立者
サルマン・カーン

第5章

オンラインによって、

あなたの視野はグローバルに広がりました。

そんな時代だからこそ、

これからのオンラインの在り方について

より深く、より慎重に知り、

取り入れる必要があります。

超・学習法 40

オンライン学習のメリットをフル活用する

いまは仕事も会議も飲み会も、ZoomやSlackやChatworkといった便利なツールを使い、オンラインでできる、そんな時代です。

学びという場においても、オンラインは欠かせないものになりました。

講座もセミナーも、オンラインのみでおこなわれるものが増え続けていますが、その背景には、なによりそれを望んでいる人たちが多いことを表しています。

私が起業したてのころ、心理学やマーケティングの勉強をするにはオンラインでの講座はほとんどなく、セミナーや講座会場へ行き、直接学ぶというやり方が普通でした。

しかし、**いまの時代はオンライン学習がニュースタンダードとなりつつあります。主催する側も受ける側も、新しい価値観を取り入れることが、学習やビジネスというシーンにも必要です。**

オンライン学習の3つのメリット

オンライン学習には、大きく3つのメリットがあります。

1つめは「いつでも、どこでも学べること」です。

少し前までは、いくら受講したいセミナーがあっても、
「これはオーストラリアに行かないと学べない」
「本場のアメリカに行かないとダメだ」
などと、あきらめてしまうこともありましたが、いまの時代は全世界でおこなわれている学びを、日本で、さらに自分の家や好きなカフェで学ぶことができます。

つまり、いままではその場に行かないと学べなかったことが、そこに行かなくても学ぶことが可能になったのです。

また、現地に行くまでの交通費や宿泊費などもかかりませんし、主催者側は会議室やセミナールームを借りる必要もありません。

なにより、時間がかかりません。

いままでは地方に住んでいる人が、都内の講座に行くために往復3時間かけて毎週足を運んでいたなんてこともよくありましたが、オンラインであれば、家でパソコンをつければすぐそこが学びの場となります。

これはまさに革命ともいえる時代の進化であり、これだけでもオンラインの便利さを痛感します。

具体的には「Udemy」や「ストアカ」などの、いわゆるオンライン講座のプラットフォームで自分の興味にあったコースが選べますし、さまざまな会社が出しているオンラインコースで学ぶのも有効です。

また学生や学生の子どもを持つ親であれば「カーン・アカデミー」という非営利団

体のオンライン授業を使うのも、どんな環境の子どもにも教育が無料で提供されるので非常に有効です。

2つめは「自分のペースに合わせて学べること」です。

大人になってから何かを学びたいと思ったとき、その学びを得るための時間を確保できるかが、習得するためのカギとなります。

普段忙しいビジネスパーソンであれば、「週末は家族と過ごしたいから、できれば電車などの移動中に学びたい」と思うでしょうし、主婦であれば「子どもが学校へ行っている間に学びたい」、学生であれば「週末や深夜しか時間が取れない」などと思う人も多いでしょう。

オンライン学習は、そういったすべての人の要望に応えることが可能です。

たとえば自分が希望する時間帯で学べる講座を探したり、リアルタイムでの学びも、自分の都合に合わせて設定してもらえば、時間の有効活用になります。

なによりマイペースで学べるということは、集中力という意味でもパフォーマンスという意味でも、効率がいいです。

「学びたいときに、学びたいだけ、学ぶことができる」ということ。これこそが自発的に学ぶというマインドの基礎となります。

3つめは「好きなときに、好きなだけ復習ができること」です。

たとえばオフラインの場合、「講師が話したことを、メモすることだけに必死になってしまった」「前の人の行動が気になり、内容が頭に入らなかった」という経験はありませんか？

一対複数という学びの場では、どうしても受け身になってしまったり、まわりの人や視線が気になったりすることがあります。それはまさに日本の悪い学び方のひとつであり、過去の学習法と同じになってしまいがちです。

しかし、オンライン学習は何度も繰り返し見ることができ、また好きなだけ復習ができます。

前述したとおり、脳への定着には復習が不可欠です。そういった意味でも、何度も復習ができるオンライン学習にはメリットしかないのです。

オンライン学習のほうが結果は出やすいという研究もある

また、2009年と2013年に発表されたSRIインターナショナル（以後SRI）によるメタ分析が非常に興味深いです。

SRIでは、1996年から2008年7月までに公表された実証研究の結果をまとめ、オンライン学習の有効性について検証しています。

その結果、**全体傾向としてオンライン学習は対面式学習よりも優れた学習効果をもたらすことが明らかとなっているのです。**

とくに、対面式とオンライン学習を混ぜたプログラムの学習効果がもっとも優れていました。

この原因についてSRIは、オンラインとオフラインの併用によって指導内容に多様性が生まれ、研修時に受講生に与えられる情報量が増加することが学習効果の向上に起因する、と推察しているそうです。

ＳＲＩは、学習効果を高めるオンライン学習の設計についても言及しています。

たとえばオンライン学習では、受講生同士の共同作業の有無が学習効果に大きな影響を与えるそうです。受講生が単独でおこなう個人作業だけでは、学習効果を高めることにならず、受講生同士での相互作用が重要となります。

受講生同士の相互作用は、そのほかにも学習効果を高めると述べられています。

研修中に、受講生同士のコミュニケーションの場を設けることは、リアルタイムであっても、研修前後の非同時期のやり取りであっても、学習定着率を高める効果があるとのことでした。

このように、オンライン学習にはメリットしかないのです。オンラインで、あなたが興味を持つ分野の知識やスキルを学びはじめましょう。

オンライン学習の3つのメリット

1. いつでもどこでも学べる
2. 自分のペースに合わせて学べる
3. 好きなときに好きなだけ復習できる

さらに!

脳への
定着には復習
が不可欠!

オンライン学習のほうが対面式学習よりも優れた学習効果をもたらすことが明らかに!

※受講生同士の共同作業がある場合

受講生同士のコミュニケーションを設けることは、リアルタイムでも非同時期でも学習定着率を高める効果がある!

超・学習法 41

オンラインコミュニティで仲間と交流しながら学ぶ

いまこの時代は、コミュニティブームです。

さまざまな趣味や思考を通じて、同じ志を持った仲間と簡単につながることができるのも、オンラインなくしてできることではありません。

たとえば健康について学びたいと思うなら、健康好きの人たちが集まるコミュニティがたくさんありますし、好きな著名人がいれば、その人のファンが集まるコミュニティが選びきれないほどたくさんあります。

同じ思考を持つ人たちというのは、あなたと「気が合う人」です。

そういう人たちと同じ目標に向かって学ぶというのは、シンプルに楽しいです。

そして、その楽しいという気持ちこそモチベーションを維持し、やる気を起こさせるパワーを生みます。

オンラインサロンを活用する

いまオンラインサロンが流行しているのも、同じ志をもった仲間と学んだり、クリエイトしたりと、仕事とは違う場所に自分の意義を見出すことができるからではないでしょうか。

オンラインであれば、全国どこにいても顔を合わせられますし、グループチャット機能を使いながらみんなで会話ができます。そのようにオンラインによるコミュニケーションの幅はさらに進化し続けているのです。

そして、第3章でもお話ししたとおり、学びはひとりでするより誰かと一緒のほうが挫折しにくいです。

同じような志を持つ仲間がいるだけで、強制的に学ぶ環境をつくることができますし、仲間がいれば「あの人がいるからがんばろう」とか「自分もやらないと」という気持ちを維持できます。

前項のＳＲＩの研究にもあったように、オンライン上で、しかも共同で学ぶことは学習効果を高めてくれます。

オンラインであればわからないところをすぐに聞けますし、逆にわからない人に教えてあげることもできます。そういった即効性のあるコミュニケーションが図れるのも、オンラインならではのメリットです。

超・学習法 42

ラーニングピラミッドを使った「体験型学習」で学習定着率をアップ

アメリカ国立訓練研究所の研究によると、学習方法と平均学習定着率の関係は「ラーニングピラミッド」という図で表すことができます。

学校の授業や会社の新人研修などでは、講義・実技・議論などさまざまな方法で学習をおこないますが、学習時間が限られている状況では、より効率のよい方法での学習が、スムーズに学習内容を身につけることにつながります。

いくら勉強してもなかなか成果が出ず困っている人は、学習方法を見直すだけで思わぬ効果が出るかもしれません。

とくに**効果が高いのは「他の人に教える」だったり、実際に自分の手や身体を動かして感覚をつかむ「自ら体験する」です。**現場に出向いて自分で調査・研究する「フィールドワーク」もこの段階に含まれます。

国語・数学などのように実技のない科目や暗記科目を脳に記憶させるには、書き取り・音読・練習問題によって経験を積むことが有効です。

こう考えると、オンラインコミュニティやサロンでは積極的にオフ会などでメンバーと交流するほうが、学びの効果が一段と高くなると言えます。

仲間とリラックスして交流する

脳神経外科医でカリフォルニア工科大学のウエリ・ルティスハウザー博士によると、脳の回路レベルでの事象と、ヒトの行動への効果との直接な関連性が明らかになりました。

博士によると、**リラックスしたときの脳波「シータ波」が、学習や記憶を形成し、脳の同期を促す**そうです。

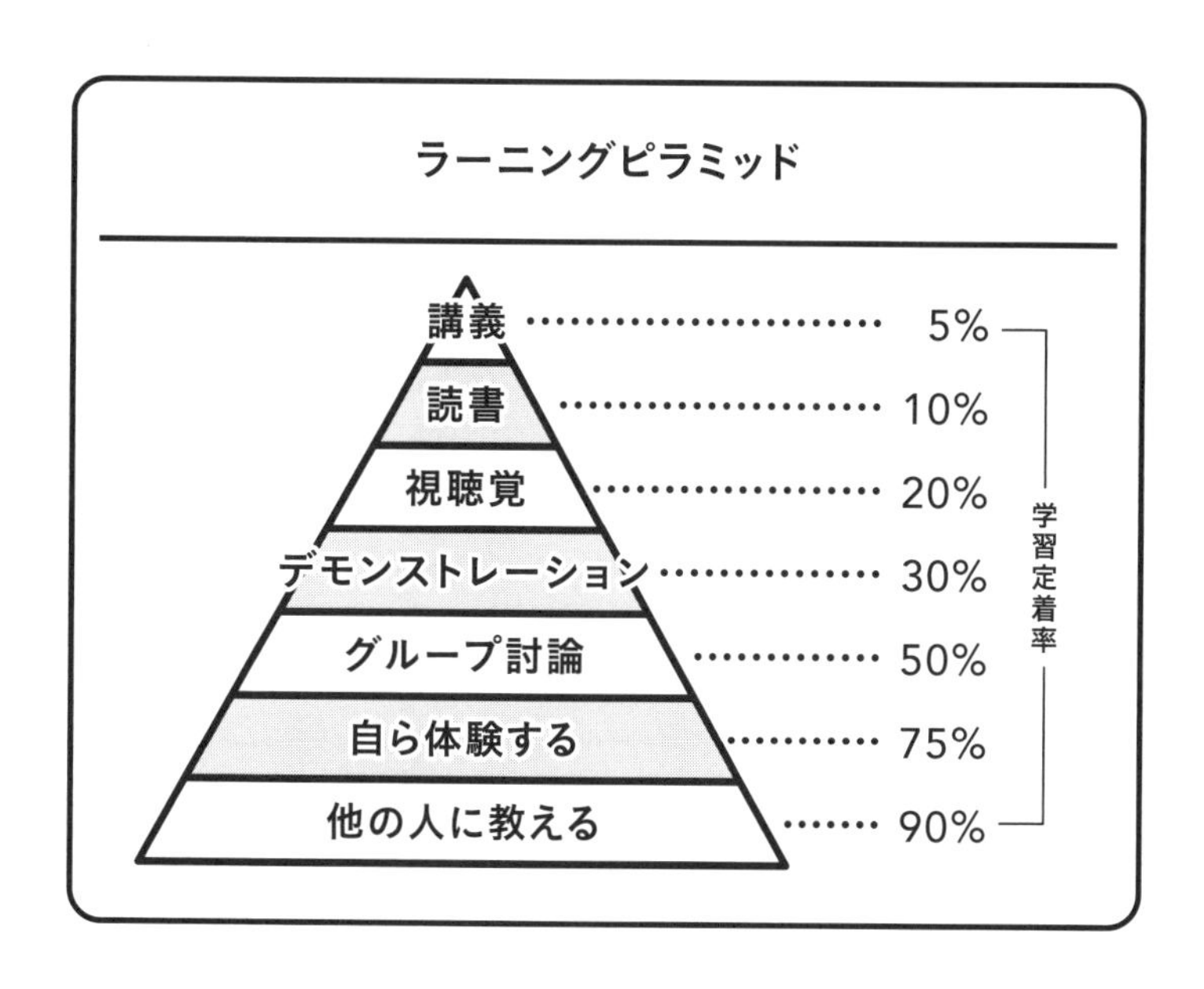

カリフォルニア工科大学の神経生物学者エリン・シューマン氏は、この研究結果を考察し、「リラックスした状態を確保し、脳の状態を最適化すれば、記憶力は改善されうる」と述べています。

要はリラックス状態の意識は新しい情報を受け取りやすいというわけです。

なので、オンラインサロンやオンラインセミナーで学ぶのも大事ですが、リラックスした状態でメンバーと一緒に食事をしたり、スポーツや遊ぶことを組み合わせると、学びが一気に深まるのです。

超・学習法 43

オンラインで「お気に入りの先生」を見つける

学生のころ、

「先生がおもしろかったから、苦手だった数学が好きになった」

「大好きな先生に認めてもらいたいからがんばる」

という思いを抱いたことはありませんか？

この「好き」とか「楽しい」という気持ちは、あなたのやる気の源になります。

だからこそ、何かを学びたいときは、あなたのお気に入りの先生を見つけることが大事であり、そういう人がいるだけで学びを習得できる可能性がグンと上がります。

しかしながら、「そういう先生を見つけるには、どうしたらいいの？」と疑問に思うでしょう。

その答えは、やはり本を読むことで探すのがベストであると思います。

本を読む人は、基本的に「学び方に興味がある人」です。

だからこそ、**学びたいことに関連する本を読み、その著者をお気に入りの先生と設定することが近道です。**

そもそも本とは、多くの人の労力と時間をかけてつくられます。

著者、編集、ライター、校閲、営業など、さまざまな人たちの力を集結し、1冊の本ができあがります。だからこそ、ほかの媒体と比べて信ぴょう性が高いのです。

また著者自身も現実社会での結果や社会的地位、人脈、ファンがいるから本を出すことができます。つまり、多くの人に太鼓判を押されたコンテンツがあるからこそ、本を出すことができるのです。

となると、信頼できる憧れの先生は、本で見つけられるという可能性がとても高いと言えます。

この本を読んでくださるあなたも、少なからず「学び」に興味があり、本が好きな向上心が強い人だと予想します。

だからこそ、過去に「この本を読んで人生が変わった」「思考が変わった」と思う本に出合ったことがあるかもしれません。私にも、人生を大きく変えてくれた本が何冊もあります。

読んだ本に感銘を受け、自分のなかの価値観が変わったというのは、明らかにその著者に影響を受けたということになります。

SNSで、その先生の人となりをチェックする

しかし、ここで注意しなくてはいけないのが、**実際にその著者がどんなキャラクターなのかは、会ってみないとわからない**ということです。

私自身も「本を読んだ印象と、実際に会って話したときの印象が違う」といわれたことがあります。私の本を読んでセミナーに参加してくれた人は、「本のなかは熱い男というイメージがありましたが、実際にお会いすると、物腰が柔らかなので驚いた」と言ってくれます（笑）。

実際に会って印象がよくなればいいですが、少なからずそうではない場合もあるので、本だけではその著者があなたの学びの師になるかどうかは、まだ決めないほうがいいかもしれません。

そんなときに役に立つのがSNSです。

あなたが感銘を受けた著者のSNSをチェックしてみましょう。FacebookやInstagram、Twitterなどは、著者の意外な素顔を見られる、いいツールです。

なかでも、YouTubeをチェックするのはおすすめです。

いま、YouTubeはさまざまなジャンルの著名人やタレントが続々と参入しています。個人だけではなく企業やコミュニティなども自分たちのコンテンツを紹介するツールとしてYouTubeを利用しています。

そして、YouTube最大のメリットは相手の人柄が見られるということです。

たとえばテレビでは強気なイメージのある人がYouTubeだと意外と優しい人だったり、むずかしい本の著者が意外とフランクな話し方だったりと、動画ならではの驚きがあると思います。

もしいまあなたに「この人みたいになりたい」「この人に学びたい」と思う人がいたら、まずはYouTubeチャンネルを開設しているかチェックすることです。

動画になることで、その人のリアルな部分や性格や思考、ライフスタイルを知ることができますし、また、そういう部分を知ったうえで相手を好きだと思えてこそ、あなたにとって本当の憧れの人であり「ロールモデル」になるのです。

たとえば、ダイエット本がベストセラーになっている著者が「動画で見たら太っていた」とか、「最低限のお金があれば幸せ」などと謳(うた)っている著者が高級車に乗り、全身ブランド品をまとっている、なんてことも実際はゼロではありません。

お気に入りの先生候補がいたら、まずはSNSをチェックし、その人柄を予測しましょう。そうやって、本だけではない著者のキャラクターをすぐに確認できるのも、オンライン時代ならではです。

超・学習法 44

「メンター」と「コーチ」を使い分ける

どんな優れた人や企業にも、コーチやメンターは必須です。

「シリコンバレーのコーチ」として有名なソフトウェア開発企業「Intuit」のビル・キャンベル元CEOは、Appleのスティーブ・ジョブズやAmazonのジェフ・ベゾスなど、多くのCEOに敬愛された、経営者たちのよき相談相手でした。

彼にはデジタルの世界を見通す先見の明があり、さらにまわりを鼓舞する力があり、Googleなどの有名企業のCEOもコーチングをしていました。

ベゾスやジョブズでも学び続けたわけですから、どんな優れた社長でも、アドバイスをもらい、個人的にコーチをつけているのは正しい姿と言えるでしょう。

まずは真似から入ろう

序章のモデリングのところでも述べましたが、あなたが「この人に教わりたい」「この人みたいになりたい」という人を見つけたら、まずはその人を真似することが、学びを得るために大切なカギとなります。

たとえば、その人がよく行くレストランやお気に入りの場所、好きな映画や本を読んで、

「あの人は、このお店でどんな気分になるのかな?」
「この本を読んでどんなことを考えたのかな?」
「この映画を観てどんな感想を言うだろう?」

そんなふうに、想像してみましょう。

そして、**この人ならきっとこうするだろうという思考が見えてきたら、あなたがその人に近づいた証拠**です。

その人が普段どんな生活をしているか、どんなものを読んでいるのか、そういうも

のを知ることができるのもオンライン時代のメリットです。

また、その人が合宿のような学びの場を設けていたら、ぜひ参加することをおすすめします。

『1分間マネジャー』の著者のケン・ブランチャードも「**3〜4日間一緒に旅行をすると、その人の本質がよく見えます**」と言っており、食事を一緒にしたり、同じ行動をとったりすると、その人のことが非常によくわかると言います。

たしかに長い間一緒に過ごすということは、接触頻度を増やし、相手を知り、相手から吸収することができる最大のチャンスです。そんな機会があればかならず参加し、相手から得られるものをすべて吸収してください。

「自分よりちょっと先輩」からが、学びは吸収しやすい

そして、先生は、あなたと同じ性別である必要はありません。

女性が男性の先生をつけてもいいし、男性が女性の先生をつけてもいい。何かを学びたい気持ちに、男女の差や年齢の差は関係ありません。

しかしながら、たとえばあなたが20代の女性であるならば、50代の男性を先生としたとき、あなたが結婚し、出産したら、その部分に関しては先生から教えを乞うことはむずかしいでしょう。

一方で「子育てとビジネスを両立し、成功している女性」が先生であれば、その人のすべてをモデリングできる可能性は高いです。

そういう意味でも「同性で、自分よりちょっと先輩」という先生を見つけることがベストなのかもしれません。

あなたと同じ環境を持ちながら、あなたが欲しい成功を得ている人のほうが、いまのあなたとつながりやすく、結果も出しやすいです。

要するに、「自分の延長にいる同性」に教わるほうが、学びを習得しやすく成功しやすいと私は思います。

先ほどの例でいうと、**20代の女性にとって、子育てと仕事を両立している女性起業家は「コーチ」として、憧れの50代の男性は「メンター」として、**というようにあなたのいまの状況に合わせコーチとメンターを分けてみる。

すると、あなたの現状でしか得ることができない学びを得ることができます。このようにステップを踏んで学ぶことこそ、あなたが夢を叶えるための近道なのです。

「メンター」は大きなビジョンのための先生、「コーチ」は具体的な指導者

私は21歳のときニューヨークで、メンターである人物に出会いました。「世界で活躍するスピーカーになりたい」と思っていたときに彼に出会い、それ以降、メンターとしていまでもお世話になっています。

さらに、彼以外にもたくさんのコーチがいて、彼らに出会い、学んだからこそいまの私がいます。

メンターとコーチを分けたほうがいいと気づいたのは、私がビジネスで悩んでいたとき、先輩の起業家に相談をしたことがきっかけでした。

その先輩は「じゃあ、次はこれをやったほうがいいよ」とか「いまのこのやり方ではなくて、こうしたら？」という具体的な解決策を教えてくれたのです。

そのアドバイスが非常に的確で、その助言のとおりに行動したことが、その後、私のビジネスが急速に成長するきっかけをつくってくれました。

「メンター」というと大きな夢のビジョンを描くための先生というイメージがあります。一方で「コーチ」は、あなたの現状を踏まえ指導してくれる人です。

コーチによる指導で小さな成功体験を積み、一歩ずつ階段を上がり、やがてメンターが待つ階段の上へと向かいましょう。

コーチングの科学的効果

コーチングに関してのエビデンスについても触れておきましょう。

コーチングの効果について調査した「LS Green, LG Oades and AM Grant, 2006」によると、28名の被験者に10週間のコーチングを実施した結果、

(1) 目標達成に向けて努力する度合い

(2) 目標達成が実現できると期待する度合い

(3) 幸福度

の3点において、コーチング未実施群と比較して、著しい値の上昇が確認されまし

た。しかも、**実施群に確認された高い値は、コーチング終了後30週が経過しても継続していた**というのです。

コーチングの定義とした「答えや手段はコーチではなくクライアントが（潜在的に）持っている」という前提に立ち、コーチがアドバイスせずに質問をし続けると、クライアントは自ら考え、いずれ自ら決めるようになります。これは、クライアントの自己説得を促しているとも言い換えられます。

もしあなたが誰よりも早く学習目標を達成したいのであれば、また、目標に向かって一歩ずつ行動して、あなたが夢を叶えるためには、**信頼できるコーチと憧れのメンターの力を借りることです。そうすることで学習効果は加速度的に伸びていきます。**

学習効果を早めたい、フィードバックを受けながら学習して成長したいという方は、コーチやメンターを雇うことがきっと目標を達成する近道になるでしょう。

超・学習法 45

汎用性の高いものはオンラインで、属人性の高いものはオフラインに

私は経営者として普段は講座を開催したり執筆活動したりと、幅広く仕事をしていますが、やはりこれからの時代は、オンラインとオフラインの両方をフル活用することが大事だと考えます。

「オンラインだけ」「オフラインだけ」という考えではなく、その両方を組み合わせていくことが必須です。

ビジネスシーンはもちろん、最近は就職試験やコンテスト、オーディションなどもオンライン上でおこなわれています。

ただし、オンラインだけではどうしても相手の人柄がつかみにくいという声も聞こえてきます。

たしかに、この世界は人間関係のつながりのうえに成り立っています。

私の会社にも数十名スタッフがおりますが、普段顔を合わせているからこそ、オンライン上で会議をしても〝リアル感〟を保つことができます。

そのために週に一度、かならず全員が直接集まってミーティングをすることをルール化しています。

「普段と変わったことはないか」「同じ熱量を維持できているか」を確認するには、やはり会わないとわからないからです。

もちろん普段からFacebookグループやチャットなどを利用していつでもなんでも報告できるようにしていますが、それでもやはり直接会わないとわからないことがあります。

つまり、大切な仲間やスタッフほど、オンラインだけではなく定期的に顔を合わせることが大事なのです。

これはもちろん、知識やスキルを学ぶときも同様です。オンラインとオフラインをうまく組み合わせて活用することが大事です。

オンラインとオフラインのバランスは？

とはいっても、オンラインのメリットを活かさない手はありません。

とくに学びという場において、オンラインとオフラインをどう使い分けたらいいか説明しましょう。

まず、**オンラインではなく直接会って学んだほうがいいのは「生き方」「話し方」「思考法」「在り方」など、スキルのなかでも「この人だから教わりたい」という属人性の高い学び**です。

こういったものはオンラインではないほうがいいです。

なぜなら、画面上では伝わらないその人独自の魅力や雰囲気や熱量、言語化できない部分を感じるには、やはり直接会ったほうがいいからです。

一方、**「プログラミング」や「動画編集」「オンラインのマーケティング」など、汎用性が高いスキルや体系立てられた知識や情報を学ぶときは、オンライン学習をおすすめします。**

汎用性が高いとは、つまり誰から教わってもそこまで大きな違いはないと思えるものです。そういった講座やセミナーなどはむしろ、オンライン学習に限ります。

あなたがこのＩＴ時代を生き抜くためには、オンラインとオフラインの２つのいい面を最大に利用しながら能率的に学ぶことが必要です。

超・学習法 46

「学び」と「行動」はかならずセットにする

多くの人が陥りがちなミスとして、「すべての学びを完了してから行動する」と思っていることが挙げられます。

たとえば、あなたが何かの資格認定講座（6か月間、全10回）を受講していた場合、日本人は真面目な人が多いせいか、「講座が終わる前に人に教えるなんて、まだまだ早い」「まだ少ししか学んでいないのに自信がない」「すべて学び終えて、完璧な自分になれたと思ったら行動する」などと思いがちですが、はっきりいって、それでは遅いです。

なぜなら、学びながらも平行して行動することこそがアウトプットとなり、あなたの学びをさらに強化してくれるからです。

何も全10回を学び終えてから行動する必要はありません。

「これはすぐできる」と思うものがあったら、それが第1回であろうと、第3回であろうと、すぐに学んだことを実践するべきです。

つまり、教わったものをすぐに実行する。そのスピード感と勢いが大切です。アウトプットの方法は、講座やセミナーの内容にもよります。しかし、どんな内容であれ、学んだことをすぐにアウトプットする方法はたくさんあります。

たとえば、私が健康についてのセミナーに参加したとき、講座のなかで「これはいい」と勧められたものは、その瞬間にネットで購入するよう意識していました。

本やサプリメントなどはネットですぐに購入することができますし、24時間以内に自宅に届きます。

言われたことをすぐに試し、次の回に講師にその感想を伝えれば、ほかの受講生たちから一目置かれる存在になりますし、また、言ったことを素直に受け入れ試してくれるということは、講師からしても非常に喜ばしいことです。

ほかにも、講師が「このお店に行くといい」とか、「この場所はおすすめ」などといっていたら、すぐスケジュールを見てそこへ行く計画を〝その場で〟立てます。

あとになって多少面倒くさいと思っても、人は意識よりも強制力のほうが強いため、仕方なくてもやらざるを得ません。

たとえばジムの体験なども、興味を持ったら、その場ですぐ申し込みをするようにしています。予定が近づいてくると「なんか面倒くさいな」と思ってしまうときもありますが、自分で申し込んでしまったから仕方なく行くでしょう。

つまり、予定を入れることで、みずからを強制的にやらざるを得ない状況をつくるのです。

ビジネスシーンであれば、たとえば尊敬する上司から何かを教わったと思ったら、その場でメモを取るとか、その場でそれを実行するためのアポを取るなどを習慣づけましょう。とにかく「その場で」動くことが大事です。

普段から「その場で」動くことを習慣づければ、どんな学びでも効率的に吸収することができます。

オンラインを利用して、すぐ行動するクセをつける

すぐ行動するというクセをつけるのはむずかしいと感じる人も多いかもしれませんが、そういうときこそSNSを利用しましょう。

私の知り合いで「早起きがしたいけどどうしてもできない」と悩んでいる人がいました。そこで、みずからFacebookグループで「早起きをし、有意義な人生を過ごす」というコミュニティをつくり、集まった仲間と朝6時までに全員が投稿するという決まりをつくったのです。

すると、いままでまったくできなかった早起きが、何の苦もなくできるようになったそうです。

同じ目的を持つ仲間と「朝起きて6時までに投稿をしなきゃいけない」という強制ルールがあったからこそ成し得た成功例です。

何度も言いますが、人の意志力というのはそこまで強くありません。であれば、それをやらざるを得ない環境をつくることのほうがよほど簡単であり、効果があります。

そして、何にせよ思い立ったら即行動です。どんな分野であれ、学習したその場で何かしらの行動を実行する人は、先延ばしする人よりも目標が叶う可能性は高まるのです。

「先延ばし」と「成功」の関係

先延ばしとモチベーション研究の第一人者であり、カルガリー大学ビジネススクール教授ピアーズ・スティールは、自分のパワーアワー（「朝型人間」や「夜型人間」であること）を意識して使うことを含め、**よりよい時間管理が先延ばしを克服するカギである**ことを示唆しています。

時間管理のいいアプローチは、「もっとも挑戦的で生産的な仕事に、もっとも適した体内の概日リズムを創造的に利用することである」と述べています。

それには**現実的な目標を持ち、一度にひとつの問題に取り組み、「小さな成功」を大切にすることが不可欠**であるとのこと。

ただ、どうしても先延ばしグセが直らないという人もいるでしょう。

元宇宙飛行士のブライアン・オレアリーは「ワークライフバランスを見つけることは、実際には、より生産的になる方法を見つけるのに役立つかもしれない」と言い、**余暇の活動をモチベーションとして捧げることで、タスクを処理する際の効率を高めることができる**ことを示唆しています。

また「先延ばしは生涯の特徴ではない。心配しやすい人は手放すことを学ぶことができ、先延ばしにしている人は、集中して衝動を避けるためのさまざまな方法や戦略を見つけることができる」とも述べています。

いまは携帯やインターネットという便利なツールがあり、学んだことを即行動に移すことができる時代です。そういったものをフル活用して学び、あなたの夢を叶えましょう。

学びを通して
新しい
自分になる

失敗したことのない人間というのは、
挑戦をしたことのない人間である

アルバート・アインシュタイン

最終章

誰でもみな

「より幸せになりたい」「より成長したい」と思っています。

それはすべての人が持つ、人として揺るぎない願望です。

その願いを叶えるために、そして新しい自分になるために、

あなたにできる最短最速の方法は

「学ぶ」ということ以外ありません。

超・学習法 47

学びによって新しいアイデンティティを手に入れる

人が何かを学びたいと思う根底には、「新しい自分になりたい」という願望があります。そして、新しい自分を手に入れるための材料は、残念ながら「学ぶこと」以外にありません。

私自身もいままで数多くの学びを得てきたのは、「結果を出し、新しい自分になりたい」という思いがあったからです。この本を手にしてくださったあなたも、きっと同じ思いを持っているのではないでしょうか。

そして、新しい自分を手に入れるには、学びながら新しい「アイデンティティ」を持つことがもっとも近道です。

アイデンティティというのは、「同一性」「素性」「身元」などといわれますが、ここでいうアイデンティティというのは、**「自分を表現できるもの」「キャリア」「肩書き」**という表現がもっとも近いです。

つまり、自分を表現するもの、場所を増やすことが、新しい自分をつくりだし、理想の自分へと導く突破口になるということです。

私は学生のときから、コーチングやビジネスについてさまざまな本を読み、勉強をしましたが、その後、それらを活かしたいと思い25歳のとき起業をしました。

当然ながら、大学生のときは「大学生」というアイデンティティを持っており、誰と会おうと「私はニューヨーク市立大学の学生です」といえば、まわりからそういう目で見られ、「学生だから」という理由で優しくしてくれたり、許してくれたりすることもたくさんあった気がします。

しかし、いざ社会に出ると、それまで使っていた「大学生」というアイデンティティはもちろん通用しません。

ましてや、アメリカから帰ってきて人脈もコネも社会経験もなく、ひとりで起業をした私にとっては、「これからひとりで大丈夫かな」「私が社会に役に立つことができるのか」と悩むこともありました。

そんなある日、とある経営者とお会いしたときのこと。

名刺交換の際、私が「個人事業主です、起業したばかりです！」というと、「ふーん。個人事業主ね。何やってんの？」と、なぜか素っ気ない挨拶をされたのです。

少し前の「大学生です」と名乗っていたときとはまったく違う対応をされ、このとき初めて「人は肩書きで人を見る」と気づきました。

しかし、落ち込んでばかりはいられません。

どうしたらいいかと考えた末、**個人事業主と名乗るのではなく、「経営者」という肩書きに変えようとひらめきました。**

たしかに当時の私は「ひとり企業」の経営者です。社員がいなくても経営者は社長だと開き直り、みずからのアイデンティティを経営者と名乗ることに決めたのです。

すると、不思議と「経営者ならどうふるまうか」「経営者ならこんなことをいうだろう」などと考えるようになりました。

また、みずからの理想の経営者像を思い描いたり、まわりの経営者たちを研究したりしながら、なるべく自分も経営者らしく振舞ってみました。

すると、個人事業主と名乗っていたときには話も聞いてくれなかった人たちの反応が少しずつ変わり、次第にビジネスが円滑に進むようになったのです。

つまり、アイデンティティを変えたことで、望んでいた結果が出せるようになったというわけです。

アイデンティティを変えると、自分のマインドが変わり、それによる行動の変化でまわりの反応が変わることを実感した瞬間でした。

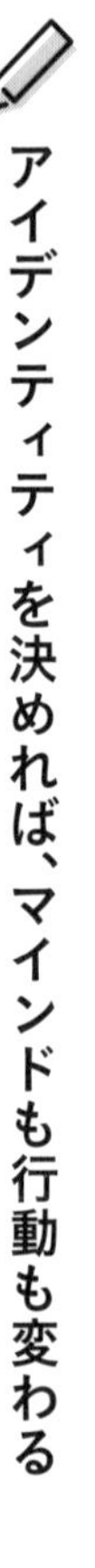

アイデンティティを決めれば、マインドも行動も変わる

そうと知ってからは、「健康について極めたい」という思いから、自分を「バイオハッカー」とし、その名に恥じない行動と結果を出せるよう健康について探究し続けたり、また「スピーカー」というアイデンティティを持ち、スピーカートレーニング（話し方の講座）を受けたりするうちに、セミナーや講座や大企業での研修の仕事をいただくことがぐんと増えました。

つまり、自分がなりたいアイデンティティを明確にすることで、マインドと行動が変わり、それにより手に入れたい結果を出すことができるのです。

思えば、私がアメリカへ留学したときも、「ネイティブスピーカーになってアメリカで永住する」と決めていたから、学びの伸びが速かったのだと思います。

自分のなかで結果を明確にしていたからこそ、結果を出すことができたのです。

あなたがビジネスパーソンだとして、「いつか会社を辞めて起業したい」と思いながら仕事をするのと、「いつかこの会社の社長になってやる」と思いながら仕事をするのでは、いまのあなたの行動はまったく違うものになるでしょう。

自分がどうなりたいかを明確にし、それに見合った行動をする。

それがあなたのアイデンティティを増やしたり、変えたりすることにつながっていくのです。

あなたがどんなアイデンティティを持ちたいのかは、あなたの自由です。

あなたの夢や目的に、キャリアや年齢は関係ありません。人の筋肉は何歳からでも鍛えられるように、あなたが欲しいアイデンティティも年齢関係なくいますぐに鍛えられ、手に入れることができるのです。

超・学習法 48

学びによって運命を変える

「運命を変える」というと非常に大きな変化のように感じ、「いまさらそんなの無理」とか「この年齢ではもう遅い」などと思ってしまう人も多いでしょう。

でも、あなたは少なからず自分を変えたいと思って、この本を手に取ってくださったはずです。

運命というのは、音を立てて一瞬でガラリと変わるものではありません。

かならず、そこにたどり着くまでの階段があり、そこを一つひとつ進んでいく。その小さな積み重ねこそが、運命を変える近道です。

そして、**そのためのツールこそが「学び」**であり、それさえ手にすれば、かならずあなたの運命は変えられます。

「目的地」「理想の自分」「アクション」の3つを明確にする

そのためにまずすべきことは、

- **目的地**（ゴール）
- **どの階段を選ぶか**（理想の自分・アイデンティティ）
- **どう上るか**（どう学ぶか・アクション）

この3つを明確にすることです。

私の場合は、

- **目的地**（ゴール）↓「**世界で活躍するスピーカーになる**」

・どの階段を選ぶか↓「そのために英語を学び、使いこなせる自分に」
・どう上るか↓「アメリカに留学する」

こう設定したことが、運命を変えるきっかけとなりました。

しかしながら、階段を上っている間はゴールは見えません。「この階段を上り続けていいのか」と不安になることもあるでしょう。途中で上るのを辞めてしまう人もいれば、その場で立ち尽くす人もいるかもしれません。また、一歩ずつゆっくりゆっくり上る人もいれば、三段跳びで上っていく人もいるでしょう。大切なのは、その途中で自分を振り返り、他の人からフィードバックをもらうことです。

どんな階段であれ、自分が信じた階段を上り続けた人のみが運命を変えるチャンスを得ることに変わりはありません。

そして、その階段を上り続けるためには、筋力を鍛えなければなりません。その筋トレこそが「学び」であり、その筋トレを習慣化できるかどうかが、階段を上り続けることができるかどうかの分かれ道となります。

たとえば、一流のプログラマーになりたいのであれば、つねにプログラミングがどうすれば上達するかを考えたり、学び続ける。起業家として成功したいなら、起業家として成功した人を徹底的に真似する。

いまの自分にできる最善の学びをつねにおこなうということを、まずは習慣づけましょう。

そして、日々「毎日新しい自分になる」というイメージを抱き続け、実践を続けることが大切です。そうすればかならず、あなたの運命を変えることができます。

アメリカのベストセラー作家、ロバート・グリーンはこのように言います。

「私たちの文化において、知力や考える力は立身出世や業績に一致するとみなされがちである。しかし、ある分野をきわめる人々と、単に仕事をするだけの人々とを分けるのは、多くの点で感情の質の違いなのだ。

筋道を立てて考え、判断する能力よりも、願望や忍耐、粘り強さや自信などの感情のほうが、人生の成功という点でずっと重要である。

意欲と活力があれば、だいたいどんなことでも克服できる。退屈と不安を感じれば、私たちの精神は動きを止め、どんどん受け身になってしまう」


当たり前ですが、時間を割いて努力すること、常に学び続けること、自分自身を改善し続けること、継続して進化することが重要です。

私たちには、平等に与えられた時間があり、インターネットを使えば世界中の膨大な知識にすぐにアクセスできます。

ぜひ、学習の機会を求め続け、仲間と一緒に学び、自分の人生を向上させるべく学び続けましょう。

3つを明確にして運命を変える

目的地(ゴール)

例：世界で活躍できるスピーカーになる

理想の自分・アイデンティティ(どの階段を選ぶか)

例：そのために英語を学び、使いこなせる自分に

アクション・どう学ぶか(どう上るか)

例：アメリカに留学する

小さな積み重ねが運命を変える近道！

超・学習法 49

常にレベルアップできる環境に飛び込む

人はどんなに強い意志を持とうと、環境に流されやすい生き物です。

「学びの極意とは、環境を変えることが一番」とお伝えしましたが、何かを習得したいと思うなら、意志力よりも強い、強制力を利用したほうが早いです。

つまり、強制的に環境を変え、そこへ飛び込む勇気を持つこと。習得したスキルを使わず宝の持ち腐れでは、学んだ意味がありません。

第3章でもお伝えしましたが、たとえば英語の場合。

週末の夜に、東京の六本木や渋谷のバーなどに行けば外国人がたくさんいます。または英会話カフェなどもたくさんあります。

最初はその空間に慣れず居心地が悪いと思いますが、新しい自分になるために毎週行くと決めてみる。ひとりで不安であれば友だちと一緒に行ってみる。つまり、英語を使わざるを得ない空間に飛び込み、その空気感に触れてみるのです。

最初は何を話しているのかわからなくても、あなたが言いたいことが伝わらなくてもいい。**なかば強引に英語を話す空間にいることが、英語をマスターしたいあなたにとっては必要です。**

アウトプットすることで、レベルが上がっていく

また、ひとりで学ぶのは限界があることも紛れもない事実です。

自分ひとりで極めるという生き方、やり方もあるかもしれませんが、誰かと一緒に教わったり、一緒に教えたりすることが学びには必要不可欠です。

私が登壇したりセミナーを開催したりするときは、当然ながら「自分は教える立場なのだから、もっともっとレベルアップしなければ」と思い、さらに学びます。

学んだことを人に教えるということで、自分を客観的に見ることができるのも、アウトプットの利点です。

いまは、自分自身が発信者となり、教えるということが簡単にできる時代です。SNSで発信するもよし、YouTubeで話すこともよし、スキルシェアのプラットフォームで自分のスキルを人とシェアするもよし、SNS以外でも会社の後輩に教えることもできるし、家族の誰かに教えることもできます。

学びながらもアウトプットを継続的にやっていくことが、これからの時代には必要な学び方です。

学ぶ前はどうしても「本当に英語を話せるようになるのかな?」とか「私には無理なんじゃないかな」と思うこともあるでしょう。

しかし、不安になることはありません。

仲間とともに、正しい学び方をすれば、少しずつ学びをマスターすることができ、新しい自分を手に入れることができるのです。

超・学習法 50

「学び」という究極の武器を手に入れる

過去の偉人や賢者と呼ばれる人たちも、生まれてすぐにそうなったわけではありませんし、**いまあなたが知る一流と呼ばれる人も、最初から一流の人だったわけではありません。**

いくら素晴らしいと思う人でも、みんな最初はあなたと同じスタートラインに立ち、あなたと同じように悩みながらも一歩ずつ自分の信じた階段を上り、いまの地位を手に入れたのです。

あなたが尊敬するメンターも尊敬する先生も会社の社長も、悩みがないと思ったら大間違いです。あなたと同じように学校に行きたくない、仕事をしたくない、会社を辞めたい、と思う日もあるでしょう。

不安や焦りを消し去ることができるのは、学びというメンタル的な筋トレをすることと以外にありません。一流と呼ばれる人こそ、誰よりも学び続けているのは、そういう理由があるからです。

「学んだ知識」は誰にも奪われない

過去の偉人たちを見ても、学ばずに成功した人はひとりもいません。

学ぼうとする熱意があるからこそ、行動にうつすことができる。つまり、行動することこそが学びの第一歩になります。

ソフトバンクの孫正義さんが、大学時代に日本マクドナルド創業者である藤田田さんにアポなしで会いに行ったことはあまりにも有名な話です。

あのとき孫さんが行動をしなければ、いまのソフトバンクはなかったでしょう。

学びという武器を持つためには、なにより行動をすることです。それがあなたの人生を変えるきっかけとなることは間違いないのです。

お金は使ってしまったらなくなりますし、不動産や株の利益にも税金はかかりますし、服や車やパソコンなどのモノも失ったり盗まれることもあります。人間関係も健康もきちんとメンテナンスしないと失ってしまいます。

ただし、あなたの頭脳のなかにある学んだ知識は、誰にも奪われることはありませんし、一生のうちにいつでも何度でも使うことが可能です。

この本を読んでくださるあなたも、きっと「何かを学びたい」「学びを活かして成功したい」と思っているはずです。

新しい自分に生まれ変わるには、新しい武器を持つことが必須です。

その武器こそが「学び」です。

この学びという武器は、一度手に入れたら誰にも奪われることはない、唯一無二のあなただけの武器となるのです。

人生をよくするには、「超・学習法」が重要。

本書を読み終えて、その理由がわかったのではないでしょうか？

私がセミナーや講演会などを通して、教えるという立場になってから13年以上が経ちました。

いままで20万人以上の方とオンラインで、または直接お会いし、さまざまなスキルを伝え続けてきましたが、私の講座に来てくれる多くの仲間たちが「超・学習法」を活かし、結果を出し続けるのを見ていると、人生は１８０度変えられることをあらためて痛感させられます。

- **「超・学習法」で、ビジネスパーソンがＴＯＥＩＣで９００点を取り海外赴任**
- **「超・学習法」を使い、主婦が週に２冊の本を読めるように**

・40歳から「超・学習法」で経営を学び、サラリーマンから独立し、海外に移住
・シングルマザーが「超・学習法」を使い、毎年1億円を稼ぐスーパー経営者に

など、例を挙げればキリがありません。

なぜ彼らがここまでの結果を出せたかと言えば、ただ学ぶのではなく、能動的に学ぶという意識をつねに持っているからです。

本書のなかでも「**ただ机に向かって学ぶというスタイルでは、本当の意味で学びを得たとはいえない**」と何度もお伝えしたのは、それこそが本当の学びを得るうえでもっとも必要なスキルだからです。

つまり、正しい学び方とは、頭だけでなく身体を使い、能動的に学ぶことです。

そして、学びという旅のお供に持つべきものは、夢と仲間です。

しかし、旅の道中にはかならずあなたの行く手を阻むものが現れるでしょう。

「あなたには無理だよ」

「もうあきらめたら？」

そんな声が聞こえてくるかもしれません。

でも、その声の正体はあなた自身であり、過去の自分こそが、あなたの最大の敵なのです。

人は楽なほう、楽なほうへと流されそうになります。

しかし、何かを学ぶというのは楽(らく)ではないが、楽(たの)しいものです。

好きな先生に「授業が終わったらこの問題を教えてください」と声をかけることも楽しい。

グループワークでお互いのわからないことを言い合い、教え合うのも楽しい。

成功している人のセミナーで感銘を受けるのも楽しい。

外国人と雑談をするのも楽しい。

ピアノの発表会で新しいドレスを着るのも楽しい。

知りたい知識を得るのも楽しい。

自分の可能性を発見できるのも楽しい。

こんなふうに、学ぶということは、楽しいことの連続であることを忘れてないでいてほしいと思います。

そして、楽しいことの連続の先には、新しい自分が待っています。

新しい自分になれたら、信じられないほど欲しいものが手に入ります。

それは自信かもしれないし、幸せかもしれない、健康かもしれないし、お金かもしれない。

学び方さえ変えれば、人生はいくらでも変わっていくのです。
学び方を変えれば、人生はいくらでもやり直せるものです。

そして、まず何からはじめればいいのかわかってない人ほど、学び方を変える必要があります。

そのなかで、誰から学ぶか、自分は何のスキルを身につけたいのか、そのスキルをどうやれば最短で身につけられるのか、を考える。

そうするうちに、次第に運命が変わり、今度は自分が人に教える立場になって、また多くの人の人生を変えていくということになるのです。

いろいろな人の本を読んだり、動画を見たりするなど、学びの場が多様化するこの時代は、「学ぶことと教えることが同時におこなわれる」という世の中になると私は信じています。

つまり「全員が学んで、全員が教える」という時代がかならず来ますし、むしろ、そうであってほしい。

なぜなら、教える側と教わる側という二極化が進んでしまうと、格差社会がさらに進行してしまう可能性があるからです。

だからこそ、一刻も早く正しい学び方というスキルを、すべての人に身につけてほしいのです。

誰でもみな、幸せになりたい、自己成長したい、自分らしく生きたい、誰かの役に立ちたいと願っています。

それはすべての人が持つ揺るぎない願望です。

それを叶えるためには、学ぶこと以外にありません。

混沌としたこの時代は、何が、どう、いつ変化するかわかりません。安泰といわれる大手企業ですら簡単につぶれてしまう。1年後が見えない時代です。

だからこそ、学ぶことをやめてはいけません。

あなたが経営者であれば、時代に合わせたスキルを学び、それをビジネスに活かせないと生き延びられませんし、ビジネスマンであれば、その会社が倒産しても生き延びるスキルを持っていないと、転職できません。

夢を叶えるために学ぶことはもちろん大事です。

これからの時代は大学やビジネススクールよりも、自分自身が興味を持ったことを学んでいく「超・学習法」がニューノーマルな時代になっていきます。

そして、「超・学習法」で学ぶのが好きになる人が増えれば、結果的に次々と夢を叶える人が増えていくでしょう。

あなたがこの時代を生き残るためにも、ぜひもう一度「学ぶことの意義」を見出してほしい、そう願っています。
人生100年時代に「超・学習法」を使い、一生学び続け、一生成長し続けましょう。

最後まで本書をお読みいただき、ありがとうございました。
あなたといつの日か、直接お会いできるのを心より楽しみにしております。
最後にこの言葉をあなたに贈ります。

「学ぶことは楽しい！」

井口晃

【おもな参考文献・資料一覧】

『コリン・ローズの加速学習法・実践テキスト』コリン・ローズ 著(ダイヤモンド社)
『脳を鍛えるには運動しかない!』ジョンJ・レイティ/エリック・ヘイガーマン 著(NHK出版)
『マインドセット』キャロル・S・ドゥエック 著(草思社)
『GRIT やり抜く力』アンジェラ・ダックワース 著(ダイヤモンド社)
『やらない決意』井口晃 著(サンマーク出版)
『SUPER HUMAN　シリコンバレー式ヤバいコンディション』デイヴ・アスプリー 著(SBクリエイティブ)
『LIFESPAN(ライフスパン)老いなき世界』デビッド・A・シンクレア/マシュー・D・ラプラント 著(東洋経済新報社)
『FACTFULNESS(ファクトフルネス)』ハンス・ロスリング/オーラ・ロスリング/アンナ・ロスリング・ロンランド 著(日経BP)
『LIFE SHIFT(ライフ・シフト)』リンダ・グラットン/アンドリュー・スコット 著(東洋経済新報社)
『やる気が上がる8つのスイッチ』ハイディ・グラント・ハルバーソン 著(ディスカヴァー・トゥエンティワン)
『NLPの原理と道具「言葉と思考の心理学手法」応用マニュアル』ジョセフ・オコナー/ジョン・セイモア 著(パンローリング)
『ハック思考 最短最速で世界が変わる方法論』須藤憲司 著(幻冬舎)
『ミラーニューロンの発見』マルコ・イアコボーニ 著(早川書房)
『5秒ルール』メル・ロビンズ 著(東洋館出版社)
『マスタリー』ロバート・グリーン 著(新潮社)
『世界のエリートがやっている 最高の休息法』久賀谷亮 著(ダイヤモンド社)

「ビジュアライゼーション」について　https://business.fit/power-visualization/
「忘却曲線」について　https://uwaterloo.ca/campus-wellness/curve-forgetting
「ヨガの練習と子どもの運動能力や社会的行動の関係」について　https://www.ncbi.nlm.nih.gov/pmc/articles/PMC4959326/
「45歳以上の米国成人の睡眠時間と慢性疾患」について　https://pubmed.ncbi.nlm.nih.gov/24082301/
「日本の睡眠時間と死亡率」について　https://pubmed.ncbi.nlm.nih.gov/15369129/
「オートファジー」について　https://ruo.mbl.co.jp/bio/product/autophagy/autophagy.html

著者プロフィール

井口晃（いぐち・あきら）

東京都世田谷区生まれ。これまで研究と自己投資に20年間、1億円以上を投じてきた、自他ともに認める「学びオタク」。ニューヨーク市立大学に留学し、自己啓発・心理学・ハイパフォーマンスについて学んだ後、世界的スピーカー・作家になるビジョンを得て帰国し、友人の家に居候しながら起業。「好きなことを仕事にする」「ハイパフォーマンス」「バイオハック」をテーマにした1000人規模の講演会、セミナーをオンラインや全国で開催し、これまで20万人以上を指導する。近年は日本だけでなく、世界各地で数千人規模のセミナーに登壇するなど、「グローバルスピーカー」として大きな注目を集めている。また、栄養学、脳科学、加速学習法についての造詣も深く、世界最先端のライフハック情報を収集し、自らの人生を実験台として実践しながら、脳と肉体をアップグレードさせる日本有数の「バイオハッカー」としても知られる。ビジネス、自己啓発、健康に関する最先端の情報を発信するYouTubeチャンネル「ハイパフォーマーとして自由に働こう! 」は145万回再生を記録するなど大好評。
おもな著書として、『バイオハック』（SBクリエイティブ）、『人生の9割は逃げていい。』（すばる舎）、『やらない決意』（サンマーク出版）、『Lifestyle Millionaire』（Morgan James）などがある。

井口晃公式サイト
https://akiraiguchi.com/

最短で結果が出る「超・学習法」ベスト50

2021年2月1日　第1刷発行

著　者　　井口晃

発行者　　櫻井秀勲
発行所　　きずな出版
東京都新宿区白銀町1-13　〒162-0816
電話03-3260-0391　振替00160-2-633551
https://www.kizuna-pub.jp/

執筆協力　加藤道子
ブックデザイン　池上幸一
印刷・製本　モリモト印刷

ISBN978-4-86663-133-2

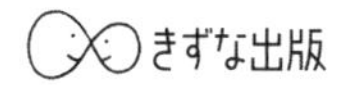